L. RONALD HUBBARD

• UN PERFIL •

No he llevado una vida de reclusión
y miro con desdén al hombre sabio
que no ha vivido y al erudito que no
compartirá con los demás.

Ha habido muchos hombres
más sabios que yo,
pero pocos han recorrido
tanto camino.

He visto la vida desde el punto
más alto hasta el más bajo;
sé como se ve en ambas direcciones,
y sé que hay sabiduría
y que hay esperanza.

L. Ronald Hubbard

CONTENIDO

Fotografía de L. Ronald Hubbard

ISBN 0-88404-995-7

© 1995 CSI. Todos los derechos reservados. Se hace un agradecido reconocimiento a la L. Ronald Hubbard Library por su permiso para reproducir selecciones de las obras con derechos de autor de L. Ronald Hubbard. Dianética, Cienciología, Centro de Celebridades, Golden Era Productions, Clearsound, la firma de LRH, la firma de L. Ronald Hubbard, L. Ronald Hubbard, Key to Life (La Llave de la Vida), Recorrido de Purificación, Purification Rundown, E-Meter, el emblema de LRH, Freewinds, OEC, OT, Student Hat, Flag y The Bridge (El Puente) son marcas que se usan con permiso.

Scientologist (Cienciólogo) es una marca de asociación colectiva que designa a los miembros de las organizaciones afiliadas de Cienciología.

ABLE, Applied Scholastics, Narconon y *Criminon* son marcas propiedad de *A.B.L.E. International* y se usan con su permiso.

Mission Earth (Misión: la Tierra) y *Writers of the Future* (Escritores del Futuro) son marcas propiedad de la L. Ronald Hubbard Library.

Reconocimiento: Fotografía inferior de la página 62 © Harrison Funk/ASI

INTRODUCCIÓN

Sólo existen dos pruebas para conocer si una vida se ha vivido plenamente, dijo cierta vez L. Ronald Hubbard: una es, ¿Realizamos lo que nos propusimos? y la otra: ¿se alegraron los demás de que existiéramos? Como testimonio y respuesta a la primera de estas preguntas se erige el conjunto de la obra que realizó en su vida, con más de 5.000 textos escritos y de 3.000 grabaciones de conferencias sobre Dianética y Cienciología. Y como evidencia de la segunda, existen decenas de millones de individuos cuyas vidas han mejorado de forma evidente gracias a que él vivió. Hay más de tres millones de niños que pueden leer ahora gracias a sus descubrimientos educativos; están los millones de hombres y mujeres que se han liberado del consumo de las drogas al utilizar los avanzados métodos de rehabilitación de L. Ronald Hubbard; también están los más de cuarenta millones de personas en las que ha hecho mella su código moral no religioso; y están los innumerables millones de seres que sostienen que su obra es la piedra angular espiritual de sus vidas.

Aunque a L. Ronald Hubbard se le conoce principalmente por Dianética y Cienciología, no es alguien a quien pueda clasificarse con facilidad. Su vida, aunque no hubiera nada más, fue demasiado diversa y su influencia demasiado extensa. Existen, por ejemplo, miembros de la tribu bantú en el sur de África que no saben nada de Dianética y Cienciología, pero conocen a L. Ronald Hubbard, como el educador que fue. Asimismo hay obreros de fábricas en Albania que lo conocen sólo por sus descubrimientos administrativos; niños en China que lo conocen sólo como el autor de su código moral, y lectores en un gran número de lenguas que lo conocen sólo por sus novelas. De modo que no, L. Ronald Hubbard no es un hombre fácil de catalogar y, con toda certeza, no encaja dentro de la concepción errónea generalizada del "fundador religioso" como una figura distante y contemplativa. Sin embargo, cuanto más conocemos a este hombre y su obra, más nos damos cuenta de que fue precisamente la clase de persona que

habría de entregarnos Cienciología, la única religión de importancia fundada en el siglo XX.

Lo que ofrece Cienciología es, de igual manera, lo que uno podría esperar de un hombre como L. Ronald Hubbard. Porque no sólo nos proporciona un enfoque totalmente único a nuestras preguntas más fundamentales: ¿Quiénes somos? ¿De dónde venimos y cuál es nuestro destino?, sino que nos proporciona además una tecnología igualmente original para lograr una mayor conciencia espiritual. Así que, ¿cómo podríamos describir al fundador de una religión así? Evidentemente, tuvo que haber sido alguien excepcional de por sí, interesado por la gente, y querido por ella, dinámico, carismático y con una capacidad inmensa en una multitud de campos de acción diferentes, todo lo que es L. Ronald Hubbard.

De hecho, si el Sr. Hubbard se hubiera detenido después de sólo uno de sus muchos logros, aún sería aclamado hoy en día. Por ejemplo, con treinta y ocho millones de su obra narrativa en circulación, además de sus monumentales best-sellers como *Campo de Batalla: la Tierra*, *Miedo* y las serie de *Misión: la Tierra*, es sin duda uno de los autores más aclamados y más leídos de todos los tiempos. Sus novelas han obtenido algunos de los premios literarios de mayor prestigio del mundo y ha sido descrito con justeza como "uno de los escritores más prolíficos y de mayor influencia en el siglo XX".

Sus primeros logros son asimismo impresionantes. Como piloto de acrobacia aérea volando por distritos rurales dando exhibiciones, durante la década de 1930, fue conocido como "Flash" y rompió todos los récords locales de permanencia en el aire en vuelo sin motor. Como jefe de expediciones, se le atribuye la dirección de la primera exploración mineralógica completa de Puerto Rico bajo el protectorado de los Estados Unidos, y sus notas de navegación todavía constituyen una referencia en las guías marítimas de la Columbia Británica. Sus experimentos con las primeras detecciones direccionales por radio sentaron las bases para el sistema de navegación de onda larga (conocido como LORAN, del inglés: *Long Range Navigational System*). Y como fotógrafo a lo largo de su vida, sus trabajos se exponen en galerías de dos continentes, y una exposición más extensa de sus fotografías sigue atrayendo cada año a miles y miles de personas.

Entre otros campos de investigación, el

Sr. Hubbard desarrolló y codificó una tecnología administrativa que utilizan en la actualidad más de cuatro mil organismos en todo el mundo, incluyendo corporaciones multinacionales, organizaciones de beneficencia, partidos políticos, escuelas, clubes juveniles y cientos de pequeños negocios. Asimismo, los métodos educativos del Sr. Hubbard, aclamados internacionalmente, son utilizados por miles de instituciones académicas, mientras que su igualmente aclamado programa de rehabilitación de drogas ha resultado cinco veces más efectivo que ningún otro programa de este tipo.

Sin embargo, a pesar de la magnitud de estas cifras, ninguna valoración de L. Ronald Hubbard estaría completa sin una apreciación de lo que constituyó la obra de su vida: Dianética y Cienciología. La Iglesia de Cienciología es la fuerza más efectiva en el mundo para lograr un cambio positivo en éste, y representa la libertad espiritual para millones de personas de todas las naciones. Personas que provienen de todos los ámbitos sociales, de todas las culturas y de cada estrato social. Más aún, cuando se habla de los descubrimientos de L. Ronald Hubbard en relación a la mente humana y al espíritu, se habla,

en última instancia, del fundamento filosófico de todo lo que logró: una mejor educación, ciudades sin crimen, campus y terrenos escolares libres de drogas, organizaciones estables y éticas, y la revitalización cultural a través de las artes; todo esto y más está siendo posible gracias a los grandes avances que contienen Dianética y Cienciología.

Las páginas siguientes tienen la intención de ofrecerle una idea de L. Ronald Hubbard y de sus logros en los muchos campos que abarca su trabajo. Dado que él mismo siempre midió el éxito de una idea en términos de su funcionalidad, se ha dado énfasis a este punto a lo largo de esta publicación. Sin embargo, dada la magnitud de lo que desarrolló, (como autor, educador, filántropo, administrador y artista) su tratamiento en estas páginas no puede ser completo de la misma manera. Después de todo, ¿cómo puede describirse en unas cuantas páginas el impacto que alguien ha causado en tantas vidas? No obstante, esta sucinta mirada al hombre y a su obra, está recogida en el espíritu de lo que él mismo declaró: "Si las cosas se conocieran y se comprendieran un poco mejor, todos llevaríamos unas vidas más felices".

A pesar del despliegue de maravillas tecnológicas de este siglo –en medicina, transporte, energía nuclear y comunicaciones electrónicas– vivimos en una sociedad enormemente problemática. Bajo el triple azote del consumo de drogas, la criminalidad y el declive de los valores morales, gran parte de este mundo se ha convertido verdaderamente en un páramo. Según algunas estimaciones, la marihuana, por ejemplo, es ahora el mayor cultivo industrial de América, mientras que las drogas ilegales han dado un beneficio bruto mundial de 500 mil millones a 1.000 millones de dólares. Además de estas cifras, están los 54 mil millones de dólares invertidos en drogas médicas y psiquiátricas; finalmente nos enfrentamos con una crisis de proporciones inmensas en la que la gente de nuestro planeta invierte más dinero en drogas que en comida, ropa y alojamiento juntos.

Sin embargo, el ingreso obtenido de manera ilegal es sólo un índice del número de pérdidas debido al consumo de drogas hoy en día. Otro factor es la relación con el crimen. Según estudios realizados por el Departamento de Justicia de los Estados Unidos, tres de cada cuatro sospechosos arrestados por crímenes violentos, dan positivo en las pruebas de detección de drogas ilegales. Esto se traduce en 1,4 millones de actos de violencia aproximadamente al año... y el costo de *esto* en términos de miseria humana es incalculable.

En la causa discutible tanto del consumo de drogas como de la criminalidad se encuentra lo que ha sido denominado como "la crisis moral del siglo XX". También en este ámbito los hechos son alarmantes: casi la mitad de todos los matrimonios acaban en divorcio; un 67 por ciento de todos los americanos admite sin rubor que mentiría por obtener beneficio económico; mientras que otro 47 por ciento confiesa que haría trampas para aprobar un examen decisivo. No es sorprendente entonces que, los índices de hurtos, desfalcos y las restantes formas de robo hayan alcanzado proporciones de epidemia, y que un 76 por ciento de los americanos haya llegado a describir esta era como "La era del declive moral y espiritual".

En una época tan temprana como 1950, L. Ronald Hubbard, al percibir hacia donde se dirigía este mundo, comenzó a investigar un medio por el que, como escribió: "El hombre pueda recobrar para sí mismo algo de la felicidad, de la sinceridad, algo del amor y algo de la bondad con las que fue creado".

La rehabilitación de drogas

Aunque L. Ronald Hubbard había reconocido desde hacía tiempo lo que las drogas significaban potencialmente en términos de miseria humana, fue la así llamada revolución psicodélica de los 60, la que dio lugar a su trabajo más intenso sobre el tema. Su razonamiento era simple: ningún hombre puede alcanzar libertad espiritual si está encadenado a una substancia química. No sólo el consumo de drogas ponía en peligro la salud de uno, sino también la velocidad de aprendizaje, las actitudes, la personalidad y la conciencia espiritual global propia. Sin duda, tras un estudio en 1972 de lo que el uso desenfrenado de drogas había causado entre la juventud de la ciudad de Nueva York, comenzó a hablar de esta epidemia de drogas en términos de un cataclismo social devastador; y teniendo en cuenta lo que siguió a esa década psicodélica, incluyendo el consumo desenfrenado de cocaína y heroína y toda la violencia que acompaña a esto, estaba en lo correcto. Los estragos sociales resultaron ser un cataclismo completo. Y el problema no sólo estuvo limitado a las drogas callejeras entre la juventud, sino que, con las instituciones psiquiátricas y farmacéuticas bombeando activamente un flujo continuo de drogas en la corriente principal de nuestra sociedad, sus ramificaciones tuvieron un carácter verdaderamente cultural.

Su solución fue un programa único de rehabilitación de drogas que no sólo se dirigía a lo que las drogas significaban en términos de debilitación mental y espiritual, incluyendo un pensamiento confuso y una conciencia disminuida, sino que se dirigió más al fondo del problema que incita a una persona al consumo de drogas en primer lugar. Porque, a menos que el problema se resuelva –descubrió el Sr. Hubbard– la persona quedaría siempre en la condición original para la que las drogas suponían una "solución". Dentro del programa de rehabilitación del Sr. Hubbard, sus métodos para eliminar los dolores producidos por la retirada de las drogas fueron también únicos y particularmente relevantes considerando la influencia de la cocaína y de la heroína. La agonía de la retirada, resuelta tradicionalmente substituyendo simplemente una adición por otra, como la metadona por la heroína, había permanecido desde hacía tiempo como un gran obstáculo en el camino de la rehabilitación de drogadictos crónicos. Y por supuesto, todo eso nunca se había hecho en beneficio del drogadicto recalcitrante, porque a diferencia del consumidor de drogas que se toman "para divertirse", el adicto raramente dispone de los medios para poder pagar por lo que pasa por ayuda en la clínica usual para

Los materiales y el programa de Narconon, basados exclusivamente en la tecnología de rehabilitación de drogas de L. Ronald Hubbard, ayudan a miles de adictos recalcitrantes a liberarse de la esclavitud de las drogas.

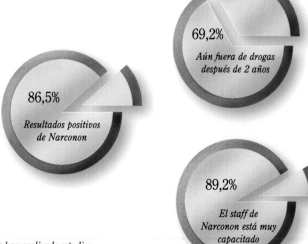

69,2%
Aún fuera de drogas después de 2 años

86,5%
Resultados positivos de Narconon

89,2%
El staff de Narconon está muy capacitado

Se han realizado estudios independientes sobre la efectividad de Narconon. Uno de tales estudios llevado a cabo en España tuvo estos resultados.

Antes de
Narconon

Después
de otros
programas

Después de
Narconon
0%

Traficó con drogas

Antes de
Narconon

Después
de otros
programas

Después de
Narconon
0%

Robos cometidos

Puede que hayas notado
que la sociedad va rápidamente
de mal en peor. La inflación, la escasez
de crudos e incluso la guerra
proyectan oscuras sombras sobre el
mundo. Y lo más serio de esto es que las
drogas, tanto las médicas como las
callejeras, han inhabilitado a una
gran parte de aquellos que podrían
haber resuelto esto, incluyendo a
los líderes políticos,
e incluso han paralizado a la
generación venidera.

L. Ronald Hubbard

el tratamiento de drogas. En cualquiera de estos casos, sin embargo, con la combinación del Sr. Hubbard de suplementos nutritivos, prácticas y ejercicios terapéuticos, la pesadilla de la retirada de drogas duras es una cosa del pasado.

Hasta la fecha, los métodos de rehabilitación de drogas desarrollados por L. Ronald Hubbard, se utilizan en más de 70 países de todo el mundo y han liberado con éxito de la dependencia de las drogas a más de 100.000 individuos. Los métodos del Sr. Hubbard son además empleados de forma exclusiva por Narconon, la red internacional de rehabilitación de drogas. Narconon, al que se ha elogiado de forma generalizada por su efectividad única en su campo, demuestra tener una proporción de éxito 5 veces mayor que la de todos los demás programas de rehabilitación de drogas. Se ha demostrado que quienes han completado con éxito el programa de Narconon, no sólo están libres de drogas, sino también libres de delitos criminales. Un hecho que confirma esta afirmación: un estudio español realizado en 1987

reveló que con anterioridad al programa de Narconon, el 73 por ciento de aquellos adictos a las drogas también las vendían. Tras la completación de otros programas de rehabilitación de drogas, el 37,9 por ciento continuaban traficando con drogas. Entre un grupo similar de adictos que completaron el programa de Narconon, ninguno reincidió en el tráfico de estas. Asimismo, mientras que otros programas eran capaces de reducir a un 32,2 por ciento los robos relacionados con drogas, los que completaron el programa de Narconon no cometieron más robos.

Los 37 centros residenciales de Narconon de otros lugares informan de igual manera sobre los extraordinarios resultados entre los cientos de individuos que reciben tratamiento cada semana. No es de extrañar entonces que la prestigiosa Comisión para la Homologación de las Instalaciones de Rehabilitación (CARF, del inglés, *C*ommission for *A*ccreditation of *R*ehabilitation *F*acilities) haya reconocido a Narconon como el punto de referencia para todos los programas de rehabilitación.

El centro de entrenamiento internacional de Narconon, centro de la Vida Nueva de Chilocco, Oklahoma.

Narconon España

Narconon Suiza

Narconon Italia

Narconon Suecia

V IVIMOS EN UNA SOCIEDAD
QUE VIVE EN CONTINUO
CONTACTO CON TODO TIPO DE
PRODUCTOS QUÍMICOS. A UNO
LE SERÍA DIFÍCIL PONERSE A
ENCONTRAR A ALGUIEN EN LA
CIVILIZACIÓN ACTUAL QUE NO
ESTUVIERA AFECTADO POR
ESTE HECHO. INCLUSO HE
DESCUBIERTO QUE EXISTE TAL
COSA COMO LA "PERSONALIDAD
DROGADICTA".

L. RONALD HUBBARD

La investigación y los descubrimientos del Sr. Hubbard respecto a las drogas y las toxinas, sus efectos sobre un individuo y el Recorrido de Purificación se describen en los tres libros que aparecen en la fotografía de la parte superior.

Aunque la original investigación sobre las drogas llevada a cabo por el Sr. Hubbard, en una continua investigación durante los últimos años de la década de los 70 era reveladora, otro insidioso problema salió a la luz: aun después de años de haber dejado las drogas y haber reparado el daño inmediato de estas, el antiguo consumidor de drogas permanecía en riesgo. La clave de su problema residía en lo que el Sr. Hubbard descubrió que eran los residuos diminutos de drogas previamente ingeridas que permanecían almacenados en los tejidos grasos del cuerpo. Estos residuos, capaces de activarse en cualquier momento, son los que explican lo que se denomina comúnmente como evocación retrospectiva, y se ha demostrado que es especialmente perturbador para aquellos que han experimentado con LSD. Sin duda, incluso años después de su ingestión, los antiguos consumidores de drogas se han encontrado a sí mismos en terribles e imprevisibles viajes. Más aún, como el Sr. Hubbard descubrió más tarde, las drogas callejeras no son las únicas substancias perjudiciales que se alojan en los tejidos grasos. De hecho, prácticamente todo tipo de droga, veneno químico, conservante, pesticida y residuo industrial que ingerimos regularmente puede alojarse en nuestros tejidos y perjudicarnos.

Esa revelación –y el Sr. Hubbard fue sin duda alguna el primero en reconocerlo– tenía profundas ramificaciones. Si se considera, por ejemplo, un informe posterior de la Agencia de Protección del Medio Ambiente en el que admite que el americano medio consume unos 2 kilos de pesticidas al año, reteniendo en el cuerpo más de 400 substancias potencialmente peligrosas. Lo que todo esto significa en términos de deterioro de la salud y reducción del promedio de vida, la Agencia de Protección del Medio Ambiente no puede decirlo a ciencia cierta. Pero un hecho está perfectamente claro partiendo de la investigación original del Sr. Hubbard y otros estudios médicos secundarios: estas substancias tóxicas influyen en gran medida en la disminución de nuestra habilidad para actuar, pensar y percibir.

El daño se hace de esta manera: dado que el cuerpo es esencialmente un sistema de comunicación, con el cerebro actuando como un panel de

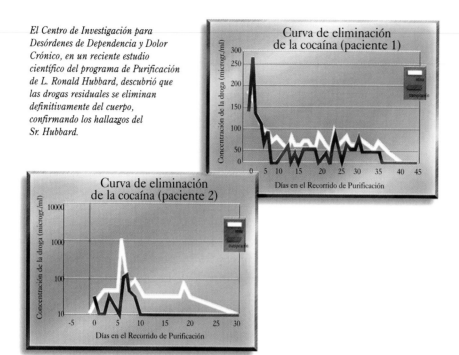

Curva de eliminación de la cocaína (paciente 1)

Curva de eliminación de la cocaína (paciente 2)

El Centro de Investigación para Desórdenes de Dependencia y Dolor Crónico, en un reciente estudio científico del programa de Purificación de L. Ronald Hubbard, descubrió que las drogas residuales se eliminan definitivamente del cuerpo, confirmando los hallazgos del Sr. Hubbard.

Ronald Hubbard, como creador de este programa de eliminación de las toxinas por medio de la transpiración llevada a cabo en la sauna, descubrió que los residuos de drogas se almacenan en el tejido adiposo del cuerpo durante largos períodos de tiempo. Estoy sorprendido de la exactitud de sus hallazgos. Las gráficas y los informes iniciales muestran lo que suponíamos durante un tiempo: es indudable que las drogas se van eliminando a través de este programa.

Forest Tennant
Doctor en Medicina, Doctor de Salud Pública
Director Ejecutivo del
Centro de Investigación para los
Desórdenes de Dependencia y Dolor Crónico

control para llevar a cabo la traducción de pensamiento en acción, las substancias bioquímicas pueden ser devastadoras, interrumpiendo realmente el patrón normal de pensamiento. No es necesario decir que estas substancias tóxicas colaboran también en la inhibición de nuestra velocidad de aprendizaje, nuestra memoria y el resto de capacidades necesarias para nuestro bienestar espiritual.

Como solución a lo que se ha descrito legítimamente como una crisis bioquímica, el Sr. Hubbard desarrolló su *programa de Purificación*, explicado de forma más detallada en el libro *Cuerpo Limpio, Mente Clara*. Haciendo uso de un régimen exacto de ejercicios, sauna y suplementos nutritivos en coordinación médica, el procedimiento de mejora de la vida del *Recorrido de Purificación (Purification Rundown)*, llamado así de forma apropiada, tiene el propósito de producir una desintoxicación, desalojando realmente los residuos de drogas de los tejidos grasos. De hecho, según recientes estudios científicos, el *Recorrido de Purificación* es el *único* medio de eliminar los residuos de drogas almacenados en los tejidos grasos. Del mismo modo, cuando se detectó que los residentes de Michigan habían ingerido en 1973 niveles peligrosos de un retardador de propagación del fuego, sólo el Recorrido de Purificación probó ser capaz de reducir los niveles tóxicos.

El efecto neto es visiblemente impresionante, y ha redefinido verdaderamente los parámetros de la medicina ambiental. Porque, mientras que los médicos trataban previamente sólo los síntomas de acumulación tóxica –incluyendo el agotamiento, lapsus de memoria y las náuseas– ahora estaban equipados para tratar la fuente. En consecuencia, muchos de los que completan el programa informan no sólo de una mejoría en las percepciones, sino que sostienen que se encuentran generalmente más felices, con más energía y mayor capacidad de concentración. También informaron las mejoras en sus relaciones interpersonales y una recuperación amplia de lo que el Sr. Hubbard describió como ese amor y esa bondad con la que fuimos creados.

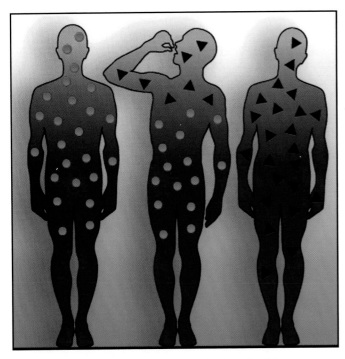

Además de las drogas existen literalmente cientos de substancias tóxicas para el organismo que se introducen en el sistema de una persona, pudiendo afectar adversamente su consciencia, habilidad y actitud frente a la vida. Existe, sin embargo, una forma de salir de esto: el Recorrido de Purificación de L. Ronald Hubbard.

La nutrición en forma de ciertas vitaminas y minerales es también una parte importante del programa. La niacina, una de las vitaminas del complejo B, juega un papel vital. Esta vitamina consigue disolver y desprender las drogas y los depósitos químicos de los tejidos y células del cuerpo.

La persona, después de haber corrido, elimina en una sauna los residuos de las drogas y las toxinas por medio de la transpiración. La transpiración profusa ayuda a purificar el sistema de estas substancias tóxicas.

Cada año, cientos de líderes civiles y profesionales de la rehabilitación de drogas reconocen y aprecian la eficiencia y resultados de la tecnología de rehabilitación de drogas, purificación y desintoxicación del Sr. Hubbard.

LA FELICIDAD ESTRIBA
EN DEDICARSE A
ACTIVIDADES QUE
MEREZCAN LA PENA, PERO
EXISTE SÓLO UNA PERSONA
QUE PUEDA DECIR CON
CERTEZA LO QUE A UNO LE
HARÁ FELIZ: UNO MISMO.

L. RONALD HUBBARD

El Camino a la Felicidad *de L. Ronald Hubbard se ha traducido a 18 lenguas, y han sido distribuidos más de 50 millones de ejemplares mundialmente.*

EL CAMINO A LA FELICIDAD

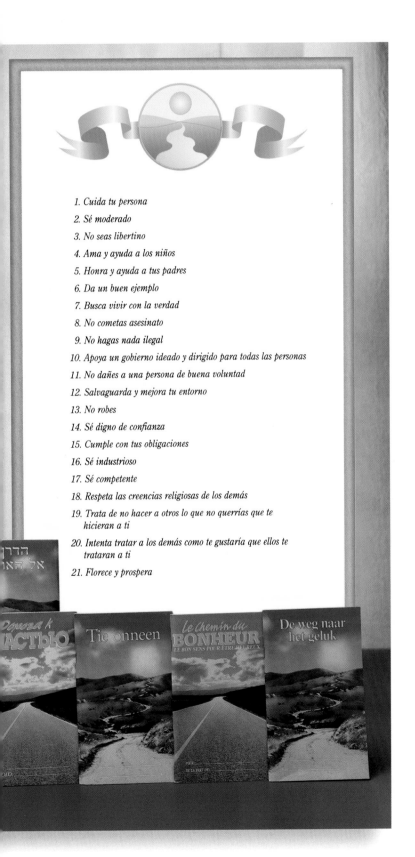

1. Cuida tu persona

2. Sé moderado

3. No seas libertino

4. Ama y ayuda a los niños

5. Honra y ayuda a tus padres

6. Da un buen ejemplo

7. Busca vivir con la verdad

8. No cometas asesinato

9. No hagas nada ilegal

10. Apoya un gobierno ideado y dirigido para todas las personas

11. No dañes a una persona de buena voluntad

12. Salvaguarda y mejora tu entorno

13. No robes

14. Sé digno de confianza

15. Cumple con tus obligaciones

16. Sé industrioso

17. Sé competente

18. Respeta las creencias religiosas de los demás

19. Trata de no hacer a otros lo que no querrías que te hicieran a ti

20. Intenta tratar a los demás como te gustaría que ellos te trataran a ti

21. Florece y prospera

Todas las culturas de todos los tiempos se han basado en un código moral para proporcionar directrices amplias de conducta que favorezcan el acuerdo social y la supervivencia. Aunque muchos de estos códigos morales del pasado puede que no parezcan particularmente relevantes para el final del siglo veinte, cuando estos se escribieron fueron totalmente pertinentes. Ayudaron a asegurar la perpetuación de la familia, el grupo y la nación. Proporcionaron los medios por los que la gente mantuvo los principios básicos de honestidad y confianza mutua. En resumen, el código moral suministraba los principios predominantes por los que los hombres podrían vivir de manera pacífica, próspera y en armonía unos con otros.

Para el comienzo de la década de los 80, sin embargo, de la forma contundente en que lo expresó el Sr. Hubbard, el mundo se había convertido en una verdadera jungla. Los signos de esto estaban en todas partes. "La codicia es buena", se convirtió en un aforismo popular de moda mientras que se hacían fortunas escandalosas mediante la manipulación de las acciones de inversión y el fraude. Si el arte y el espectáculo son algún reflejo de la realidad, los años ochenta marcaron el inicio de una era de violencia fortuita en verdad aterradora. Nadie puede olvidar tampoco lo que la década de los 80 significó en términos de violencia en los barrios urbanos donde niños de doce y trece años asesinaban a sus compañeros, sin inmutarse.

A la vista de este panorama de ausencia de moralidad, L. Ronald Hubbard presentó, entonces, su folleto *El Camino a la Felicidad*, en 1981. Típicamente, su aproximación fue histórica y culturalmente amplia. De la misma forma en que los individuos de las culturas antiguas necesitaban de un código moral que les ayudara a mantener su estructura, del mismo modo, afirmó que los miembros de nuestra sociedad necesitaban uno, ya que los antiguos valores se habían roto y aún no habían sido remplazados por nuevos valores, y al mismo tiempo los códigos basados en las religiones de épocas pasadas exigían una fe que muchos ya no podían encontrar en sí mismos. Concluyó diciendo que había teorías que sostenían que los niños asumirían en forma natural un punto de vista moral, que tampoco eran más dignas de confianza. Así pues, escribió *El Camino a la Felicidad*.

Esta obra se erige como el único código moral dirigido a una sociedad pragmática, de alta tecnología y enormemente escéptica. Primera obra de su género basada totalmente en el sentido común, es de naturaleza totalmente no religiosa. No tiene ningún otro propósito que apelar al buen sentido de los lectores, y está diseñado para que realmente hagan uso de sus veintiún preceptos en su vida diaria. Por debajo de las muchas diferencias de nacionalidad, políticas, raciales, religiosas o de otro matiz, cada uno de nosotros como individuos debe llevar su propio camino en la vida. Este camino, enseña *El Camino a la Felicidad*, puede mejorar si los preceptos de *El Camino a la Felicidad* se conocen y se usan.

La vida en una sociedad inmoral puede ser mucho más que sólo difícil, ya que incluso los valores humanos más fundamentales se ridiculizan. Para contrarrestar tales tendencias morales en decadencia, *El Camino a la Felicidad* del Sr. Hubbard contiene veintiún preceptos y cada uno constituye una regla para la vida, pertinente a cada una de las personas de nuestra aldea global. De hecho, se han puesto en circulación en la actualidad, más de 50 millones de ejemplares del folleto, en dieciocho idiomas y en cincuenta países, y esto parece no tener fin. Hasta este momento, esta obra ha recibido cuatro reconocimientos del Congreso de los Estados Unidos y ha sido apoyada con entusiasmo por la policía, dirigentes civiles, hombres de negocios y educadores. Forma la base de campañas que han tenido un enorme éxito como: "Da buen ejemplo" y "Saca las drogas de los terrenos escolares", que alcanzaron a casi cinco millones de estudiantes norteamericanos en más de 7.000 escuelas primarias, secundarias y preparatorias. Estas campañas, a su vez, han recibido el apoyo de más de treinta gobernadores de estado, junto con los directores de los programas estatales contra el abuso del alcohol y las drogas y de los departamentos de educación en cientos de comunidades, en los Estados Unidos.

Los elogios son bien merecidos. Una escuela de Ohio, por ejemplo, antes de su participación en el programa de *El Camino a la Felicidad*, había sufrido del abuso de drogas así como de la violencia rutinaria; además el nivel de lectura de sus estudiantes era menor al normal en el ámbito nacional. Después de un programa de dos años en *El Camino a la Felicidad*, pudo comprobarse que estas tendencias habían cambiado de forma impresionante; la escuela fue declarada libre de drogas y el nivel de lectura se elevó muy por encima de los promedios nacionales.

De la misma manera, durante los disturbios en la zona central del sur de Los Ángeles, se comprobó que la distribución de *El Camino a la Felicidad* tuvo profundos efectos. Por ejemplo, después de que los endurecidos miembros de una pandilla leyeron (o se les leyó) *El Camino a la Felicidad*, de forma voluntaria limpiaron las pintadas de 130 edificios de su vecindario, mientras distribuían cientos de folletos a los vecinos. El folleto inspiró también campañas de reparto de comida y acciones de limpieza después de los disturbios de Los Ángeles en 1992 así como en el terremoto de 1994 en esta misma ciudad. Un líder de la comunidad de la zona central del sur de Los Ángeles que encabeza la organización llamada "Los Padres de Watts" dijo: "Hemos estado donando este libro durante aproximadamente dos o tres meses. En este tiempo no ha habido ningún otro cambio en la comunidad más que la entrega de este libro y realmente hemos visto un cambio que debemos atribuir a *El Camino a la Felicidad*".

Una atleta que corre el maratón examina El Camino a la Felicidad.

Los Boys Scouts de América es sólo una de las miles de organizaciones juveniles que participan en el programa de El Camino a la Felicidad.

Soldados rusos en Moscú con sus ejemplares de El Camino a la Felicidad, *que distribuyen a los ciudadanos rusos.*

Oficial de policía de Los Ángeles con su copia de El Camino a la Felicidad.

Reimpresión de El Camino a la Felicidad *por parte de un periódico, que se distribuye en Sudáfrica.*

El Camino a la Felicidad *inspira reuniones para mejorar la comunidad en ciudades de todo el mundo. Esta, celebrada en Los Ángeles, está dedicada a la mejora del medio ambiente.*

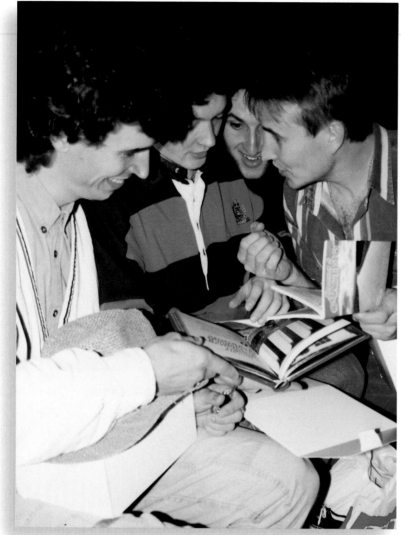

Estudiantes rusos de Moscú hablan sobre uno de los preceptos de El Camino a la Felicidad.

Voluntarios de El Camino a la Felicidad *ayudan a limpiar las calles de Los Ángeles después de los disturbios de 1992.*

En Inglaterra, El Camino a la Felicidad *se distribuye en bicicleta a los comercios y empresas.*

Boys Scouts de Los Ángeles participan en un programa de El Camino a la Felicidad *para limpiar los parques.*

Un atleta ruso en las Olimpiadas de Barcelona, en España, examina un ejemplar de El Camino a la Felicidad.

Coca-Cola patrocinó la distribución de El Camino a la Felicidad *a decenas de miles de niños colombianos.*

Voluntarios de Hamburgo, Alemania, distribuyendo El Camino a Felicidad.

Niños en Soweto, Sudáfrica, estudian El Camino a la Felicidad *como parte de su programa de estudios.*

Internacionalmente, *El Camino a la Felicidad* del Sr. Hubbard ha demostrado ser también un significativo catalizador para un cambio positivo. En el municipio de Soweto, Sudáfrica, por ejemplo, una campaña basada en el principio "Cuida y mejora tu entorno" fue apoyada por la mayor cadena alimenticia del país y dos grandes sindicatos obreros después de que la distribución de *El Camino a la Felicidad* hubiera mejorado de forma espectacular las relaciones comunitarias. Como lo explicó un residente: "La tasa de violencia ha disminuido tanto que ahora hemos aprendido a sentarnos juntos y compartir nuestros puntos de vista. Esta relación es el fruto de sus maravillosos folletos". Otra campaña en la ciudad sudafricana de Pietermaritzburg tuvo también un gran éxito en conseguir disminuir las tensiones raciales. Por ello, la policía de Sudáfrica solicitó 114.000 ejemplares de *El Camino a la Felicidad*, para cada uno de los policías del país.

Impresionado de forma similar, el jefe de la policía de Moscú, una de las mayores del mundo, solicitó 5.000 ejemplares de la edición en ruso para sus oficiales, añadiendo esta nota: "El Departamento de Policía de la ciudad de Moscú les recomienda este libro con la esperanza de que les ayudará a tener una vida mejor y más feliz". Además, se ha vuelto a publicar, sin tener que solicitarlo, en el periódico más grande de la ciudad ya que el editor reconoció su valor para ayudar a reducir la violencia política.

Este pequeño libro también tuvo un papel importante en Colombia, un país destrozado por la droga. El editor del periódico con más influencia en el país, *El Tiempo*, declaró que la raíz de la violencia en Colombia, "no estaba en la política, sino en el alma de nuestro pueblo". No sólo se encargó de su distribución, sino que además publicó selecciones del texto en su periódico. "Cuando leí *El Camino a la Felicidad*" explicó, "me di cuenta de que es nuestra solución para las enfermedades sociales y personales". De manera similar, un general del ejército colombiano, impresionado por las posibilidades de este folleto, ordenó que se distribuyeran 30.000 ejemplares entre los soldados que luchan en la guerra contra el narcotráfico. Al mismo tiempo, el Ministro de Educación de Colombia anunció un concurso para "dar buen ejemplo" y animó a los profesores, graduados, directores de educación y padres de familia de su país a organizar grupos de estudio de *El Camino a la Felicidad*.

Hoy indudablemente, el ataque popular contra el deterioro de la moral es omnipresente en la sociedad. Casi todos los referéndums políticos lo mencionan y ha sido motivo de gran cantidad de artículos, libros y reportajes. Es difícil decir en qué medida la obra del Sr. Hubbard ha encendido este grito que clama por el resurgimiento de la moral, pero con *El Camino a la Felicidad* realmente trazó con claridad el rumbo hacia una mayor tolerancia, paz y confianza mutua.

LA REFORMA DE LOS CRIMINALES

No se podría hablar de todos los aspectos del impacto de *El Camino a la Felicidad* sin mencionar el programa de reforma de criminales que utiliza este folleto. Este programa, conocido como *Criminon*, se basa además en los descubrimientos del Sr. Hubbard en relación a la causa y prevención del crimen, tal como se determinó en el curso del trabajo que realizó como oficial de la ley en Los Ángeles en los últimos años de la década de los 40. "Si quieres rehabilitar a un criminal", escribió, "simplemente regresa y descubre cuando perdió su orgullo personal. Rehabilita eso y ya no tendrás a un criminal". Exactamente esto es lo que Criminon logra con *El Camino a la Felicidad* del Sr. Hubbard y con los principios clave de Cienciología.

Este programa es único. Como Narconon, no se basa en ninguna droga o restricciones punitivas, sino que más bien, apela a lo que el Sr. Hubbard describió como la bondad fundamental que existe dentro de todos los hombres. Aunque este modo de enfocar la cuestión pueda parecer poco aplicable a criminales empedernidos, los resultados hablan por sí mismos. Con su sede en Los Ángeles, Criminon lleva a cabo, en la actualidad, programas en más de 300 prisiones e instituciones penales en 39 estados. Hasta la fecha, más de 3.200 internos han participado con éxito en los programas y han iniciado una nueva vida alejada del crimen, sin la reincidencia acostumbrada.

Sólo en uno de los programas juveniles en donde rutinariamente el 80 por ciento de los jóvenes delincuentes volvían a ser arrestados, el 98 por ciento de los que terminaron el curso de *El Camino a la Felicidad, no* volvieron a ser arrestados por posteriores delitos. Al referirse a este porcentaje de éxito sin precedentes, Daniel O. Black, Oficial Mayor de Libertad Condicional del Tribunal Juvenil del Condado Butler en Greenvile, Alabama, declaró: "El sistema de justicia juvenil necesita un programa funcional, como primer paso para la rehabilitación social, basado en la comunidad. *El Camino a la Felicidad* llena este vacío. Empezamos con lo básico: un buen fundamento moral basado en la honestidad, la integridad, y la confianza; eso es *El Camino a la Felicidad*".

En esencia, esto es también todo lo que L. Ronald Hubbard impulsó en nombre de la humanidad. Es cierto que este mundo se enfrenta a una serie de crisis sin precedentes en la historia: una crisis moral, una crisis criminal, una crisis bioquímica. También es cierto que las estadísticas anuales indican que los años venideros serán aún más sombríos. Pero con todos sus fracasos, su violencia y su degradación, el Sr. Hubbard afirmó que a pesar de todo el hombre es básicamente bueno; y además: "Siempre que el hombre se esfuerza, siempre que trabaja, sin importar qué haga, el bien que logra siempre tiene más peso que el mal".

El departamento de policía de Colombia descubre que El Camino a la Felicidad *es clave para luchar contra la corrupción de esa nación.*

Resultados de un estudio de actividad criminal antes y después de hacer el Programa de Criminon

Robo/Asalto
62,2%

Tráfico de drogas
73%

Otros crímenes
10,8%

Ningún crimen
100%

Robo/Asalto
0%

Tráfico de drogas
0%

Antes   2 años después

El Camino a la Felicidad de L. Ronald Hubbard se usa en más de 300 correccionales para ayudar a recuperar el orgullo y los valores personales de los reclusos, ofreciéndoles la oportunidad de emprender una nueva vida libre del crimen.

A través del programa de Criminon llevado a cabo con los adolescentes de la prisión de Los Ángeles para delincuentes juveniles, se les enseña a estos honestidad, integridad y confianza mediante El Camino a la Felicidad del Sr. Hubbard.

ADMITO QUE UN SER HUMANO PUEDE LLEGAR A ESTAR TAN ABERRADO QUE CONSTITUYA UNA AMENAZA PARA LA MAYOR PARTE DE LA SOCIEDAD Y SEA NECESARIO EN TAL CASO PONERLO EN COMUNICACIÓN DE NUEVO CON LA SOCIEDAD. PERO NO ADMITIRÉ QUE EXISTA UN HOMBRE EN LA TIERRA QUE SEA MALVADO POR NATURALEZA.

L. RONALD HUBBARD

AWARDED TO
L. RON HUBBARD
BY
THE CITY OF CARROLLTON, TEXAS
AND ITS
MAYOR
TOMMY THOMPSON

Presented to
L. Ron Hubbard
by
Mayor Brummond
AMARILLO

TALL IN TEXAS

GIVEN TO
L. RON HUBBARD
July 1974

MAYOR WILLIAM J. WHITE
CITY of GRETNA
STATE of LOUISIANA

IL FILOSOFO
L. RON HUBBARD
DAL COMUNE DI BRESCIA

STATE OF NEVADA

A Proclamation

BY THE GOVERNOR

Whereas, March 13th is the birth date of the acclaimed American author and humanitarian, L. Ron Hubbard; and

Whereas, L. Ron Hubbard pursued his work to sincerely help others in the face of many obstacles; and

Whereas, L. Ron Hubbard's discoveries, developments and writings have brought unprecedented success in handling criminality, drug dependency and illiteracy, and in bringing personal happiness and achievement; and

Whereas, this success has brought a multitude of testimonials, letters of thanks and friendship, favorable media and acknowledgments and awards applauding the successful appreciation of his discoveries; and

Whereas, L. Ron Hubbard's successful endeavors in reducing crime, substance abuse and illiteracy in cities around the world have

Proclamation

March 13th is the birth date of the acclaimed American author and humanitarian, L. Ron Hubbard; and

pursued his work to sincerely help others in the face of many obstacles; and

discoveries, developments and writings have brought unprecedented success in handling criminality, drug dependency and illiteracy, and in bringing personal happiness and achievement; and

this success has brought a multitude of testimonials, letters of thanks and friendship, favorable media and acknowledgements and awards applauding the successful appreciation of his discoveries; and

successful endeavors in reducing crime, substance abuse and illiteracy in cities around the world have resulted in greater trust and understanding amongst peoples of all races, colors and creeds; and

these works L. Ron Hubbard lived what he expressed in the words: "On the day that we can fully trust each other there will be peace on Earth."

NOW, THEREFORE, I, Tom Ed McHugh, Mayor-President of the City of Baton Rouge and Parish of East Baton Rouge do hereby proclaim

CARSON CITY, NEVADA

PROCLAMATION

L. RON HUBBARD DAY
MARCH 13, 1994

WHEREAS, March 13th is the birth d
American author and humanitarian, L. Ron

WHEREAS, he pursued his work to si
the face of many obstacles; and

WHEREAS, his discoveries, developme
brought unprecedented success in handli
dependency and illiteracy, and in bringi
and achievement; and

WHEREAS, this success has brou
testimonials, letters of thanks and f
media and acknowledgements and aw
successful appreciation of his discoveries

WHEREAS, his successful endeavors
substance abuse and illiteracy in citie
have resulted in greater trust and
peoples of all races, colors and creeds;

WHEREAS, with these works L. Ron

JOSEPH VAS -
CITY OF
PERTH AMB
NEW JERSEY, 0
(908) 826-42

PROCLAMATION

WHEREAS, March 13th is the birth date of the w
American author and humanitarian, L. Ron Hubbard; a

WHEREAS, he pursued his work to sincerely help

CITY OF
KENNER

Proclamation

WHEREAS, MARCH 13TH IS THE BIRTH DATE OF THE ACCLAIMED AMERICAN AUTHOR AND HUMANITARIAN, L. RON HUBBARD; AND

WHEREAS, HE PURSUED HIS WORK TO SINCERELY HELP OTHERS IN THE FACE OF MANY OBSTACLES; AND

WHEREAS, HIS DISCOVERIES, DEVELOPMENTS AND WRITINGS HAVE BROUGHT UNPRECEDENTED SUCCESS IN HANDLING CRIMINALITY, DRUG DEPENDENCY AND ILLITERACY, AND IN BRINGING PERSONAL HAPPINESS AND ACHIEVEMENT; AND

WHEREAS, THIS SUCCESS HAS BROUGHT A MULTITUDE OF TESTIMONIALS, LETTERS OF THANKS AND FRIENDSHIP, FAVORABLE MEDIA AND ACKNOWLEDGEMENTS AND AWARDS APPLAUDING THE SUCCESSFUL APPRECIATION OF HIS DISCOVERIES; AND

WHEREAS, HIS SUCCESSFUL ENDEAVORS IN REDUCING CRIME, SUBSTANCE ABUSE AND ILLITERACY IN CITIES AROUND THE WORLD HAVE RESULTED IN GREATEST TRUST AND UNDERSTANDING AMONGST PEOPLES OF ALL RACES, COLORS AND CREEDS; AND

WHEREAS, WITH THESE WORKS L. RON HUBBARD LIVED WHAT HE EXPRESSED IN WORDS: "ON THE DAY THAT WE CAN FULLY TRUST EACH OTHER THERE WILL BE PEACE ON EARTH."

NOW, THEREFORE, L. AARON F. BROUSSARD, MAYOR OF THE CITY OF KENNER, DO HEREBY PROCLAIM MARCH 13, 1994 AS

"L. RON HUBBARD DAY"

IN THE CITY OF KENNER AND I ENCOURAGE ALL WHO READ THIS PRO-CLAMATION TO ACQUAINT L. RON HUBBARD'S CONTRIBUTIONS AND WORK WITH HONESTY AND SINCERITY, AS HE DID, TO HELP OTHERS LIVE HAPPIER LIVES AND TO CREATE PEACE ON EARTH.

CITY OF TRENTON

THIS CERTIFICATE OF RECOGNITION AND APPRECIATION IS PRESENTED TO

Algunos de los miles de premios y reconocimientos locales, estatales e internacionales concedidos al Sr. Hubbard por sus logros filantrópicos.

RECONOCIMIENTO

AL GRAN FILOSOFO CONTEMPORANEO

L. RONALD HUBBARD

POR HABER ENTREGADO EN SU FILOSOFIA
UNA RESPUESTA A MUCHOS PROBLEMAS DE
LA HUMANIDAD, Y HACER POSIBLE PARA LOS
SERES ESPIRITUALES EL SER DUEÑOS DE
NUESTRO FUTURO

City of Natchitoches
Executive Department
Parish of Natchitoches

Proclamation

EL EDUCADOR

n 1950, L. Ronald Hubbard escribió: "Los niños de hoy llegarán a ser la civilización del mañana. La meta final de toda sociedad, al encarar el problema de la educación, es elevar la habilidad, la iniciativa y el nivel cultural, y con todo ello el nivel de supervivencia de esa sociedad; y cuando una sociedad olvida cualquiera de estos aspectos se está destruyendo con sus propios medios educativos". Décadas después, la observación del Sr. Hubbard ha demostrado ser tan precisa que se ha convertido en una verdadera pesadilla, y la continua desintegración de muchas de nuestras instituciones será inevitable si no detenemos el deterioro de nuestros sistemas educativos.

Para citar algunos hechos inquietantes: más del 25 por ciento de todos los estudiantes que dejan o terminan la preparatoria carecen de las habilidades necesarias de lectura y escritura que se requieren mínimamente para el vivir cotidiano; el porcentaje de deserción en las escuelas preparatorias de los Estados Unidos oscila alrededor de un 30 a un 50 por ciento en las zonas urbanas; según el presidente de la asociación de profesores, más del 50 por ciento de todos los profesores nuevos abandonan la profesión en los primeros cinco años; y las calificaciones que los estudiantes norteamericanos obtienen en la Prueba de Aptitud Escolar (*Scholastic Aptitude Test*) se han hundido hasta niveles mucho menores de los logrados por los estudiantes de la década de los 60.

En otras áreas del mundo occidental la realidad de los hechos no es mucho más alentadora. Una encuesta británica patrocinada por el periódico *The Sunday Times*, por ejemplo, descubrió que el 42 por ciento de los encuestados no fueron capaces de sumar los precios de un menú consistente en una hamburguesa, patatas fritas, pastel de manzana y café. Además, uno de cada seis habitantes de las islas británicas no pudo localizar correctamente su país en un mapamundi.

Considerándolo todo, estas cifras sombrías se traducen en un escenario económico deprimente con costos anuales para las empresas que llegan a rebasar en la actualidad los 300 mil millones de dólares en pérdidas de producción y costos de la reeducación del personal. Y cuando se incluyen los inexorables lazos entre el analfabetismo y la criminalidad como factores, resulta demasiado sombrío enumerar los fracasos de la educación mundial.

LA META FINAL DE TODA SOCIEDAD, AL ENCARAR EL PROBLEMA DE LA EDUCACIÓN, ES ELEVAR LA HABILIDAD, LA CAPACIDAD DE INICIATIVA Y EL NIVEL CULTURAL, Y CON TODO ELLO EL NIVEL DE SUPERVIVENCIA DE ESA SOCIEDAD; Y CUANDO UNA SOCIEDAD OLVIDA CUALQUIERA DE ESTOS ASPECTOS SE ESTÁ DESTRUYENDO A SÍ MISMA CON SUS PROPIOS MEDIOS EDUCATIVOS.

L. RONALD HUBBARD

Los avances de L. Ronald Hubbard en la educación y en el estudio se describen en los libros anteriores, diseñados para ser utilizados por los niños, los adolescentes y los adultos.

Fue ante esta crisis académica que L. Ronald Hubbard presentara sus métodos educativos. Fruto de unas cuatro décadas de experiencia como educador, estos métodos representan la primera comprensión plena de las verdaderas barreras al aprendizaje eficaz. Además, el Sr. Hubbard desarrolló una tecnología precisa para superar esas barreras, y de esta forma cómo aprender y aplicar *cualquier* cuerpo de conocimiento.

En total, su contribución al campo de la educación se conoce como *Tecnología de Estudio* y proporciona el primer enfoque plenamente funcional para enseñar a los estudiantes *cómo* aprender. Ofrece métodos para reconocer y resolver todas las dificultades para poder asimilar el material, lo que incluye una barrera nunca antes reconocida que en última instancia se encuentra en el fondo de todos los fracasos para proseguir un curso dado de estudio. En pocas palabras, entonces, esta Tecnología de Estudio ayuda a *cualquiera* a aprender *cualquier tema*, y se ha comprobado que con ella se pueden lograr resultados uniformes y consistentes, dondequiera que se haya aplicado. Como se basa en fundamentos comunes a todas las personas, supera las diferencias económicas, culturales o raciales, y todos pueden usarla, sin importar su edad. De hecho, los tres textos definitivos sobre el tema, *El Manual Básico de Estudio*, *Destrezas de estudio para la vida* y *Aprender cómo aprender*, sólo difieren esencialmente en el tratamiento del material; el primero está diseñado para adolescentes y adultos, el segundo va dirigido a lectores aún más jóvenes, y el tercero ofrece los fundamentos de la Tecnología de Estudio a niños de ocho a doce años. La clave es que se ha comprobado que las técnicas de estudio del Sr. Hubbard son tan eficaces en la escuela primaria como en las oficinas de los ejecutivos de corporaciones multinacionales.

Gracias a los esfuerzos de *Applied Scholastics International*, una organización benéfica no lucrativa que se dedica a mejorar la educación en todo el mundo, en la actualidad, se está aplicando la Tecnología de Estudio de L. Ronald Hubbard en treinta y seis países de todos los continentes. Hasta la fecha, más de tres millones de personas han participado en los 215 proyectos de alfabetización de *Applied Scholastics* en todo el mundo.

> Las técnicas educativas de L. Ronald Hubbard son simples y profundas en cuanto a su capacidad para dar poder a la comunidad para aprender la manera de aprender.
>
> Reverendo Alfreddie Johnson
> Cruzada para la Alfabetización del Mundo

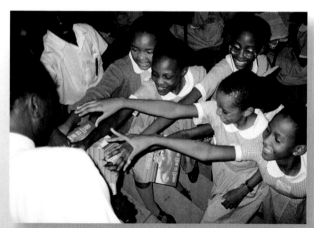

Las escuelas sudafricanas utilizan Aprender cómo aprender *del Sr. Hubbard, para enseñar a los niños técnicas de estudio apropiadas.*

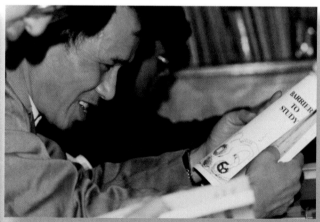

La tecnología de estudio del Sr. Hubbard se usa en programas de enseñanza para adultos con el objetivo de ayudarles a superar el analfabetismo.

Se ha descubierto que estudiantes de los Estados Unidos progresan más rápidamente a través de sus cursos, utilizando la Tecnología de Estudio del Sr. Hubbard.

Estudiantes del Reino Unido utilizan los avances educativos de L. Ronald Hubbard para acelerar su capacidad de captar el significado y comprender sus materiales.

Miles de profesores chinos están usando los materiales del Sr. Hubbard para enseñar inglés y otras materias en sus escuelas.

> LA META ES HACER QUE LA
> PERSONA LLEGUE A SER EXPERTA
> EN EL USO Y LA CONSTRUCCIÓN
> DE LAS PALABRAS Y EL
> LENGUAJE, DE MODO QUE PUEDA
> TRANSMITIR SUS CONCEPTOS Y
> PENSAMIENTOS CLARAMENTE Y
> CON LUCIDEZ, CON EL OBJETIVO
> DE QUE PUEDA COMPRENDER LOS
> PENSAMIENTOS Y CONCEPTOS DE
> LOS DEMÁS.
>
> L. RONALD HUBBARD

L. Ronald Hubbard utilizó ilustraciones para ayudar a definir conceptos gramaticales en La Nueva Gramática y en otros textos del Curso de la Llave de la Vida.

Aunque la reveladora Tecnología de Estudio de L. Ronald Hubbard es espectacular, el debate sobre su contribución global a la educación no estaría completo si no se mencionara su curso de *La Llave de la Vida (Key to Life)*. Los antecedentes de este curso dicen mucho de la manera en que el Sr. Hubbard aborda los problemas, así como del deterioro cada vez mayor de la educación durante los años 60 y 70.

Como atinadamente él señaló, en las últimas décadas de este siglo, se combinaron tres factores culturales que hicieron disminuir seriamente nuestra habilidad para comunicarnos. Primero, los estándares generales de la educación bajaron cuando los nuevos sistemas ignoraron materias tan fundamentales como la lectura, la escritura y la gramática. A su vez, la llegada de la televisión aceleró este deterioro, en particular cuando las madres sentaban a sus hijos frente al televisor para que el flujo continuo de imágenes sirviera tanto de correa como de niñera. Finalmente, y en especial durante la década de los 60, llegó el azote de las drogas para embotar aún más las mentes de una generación de espectadores de televisión. En consecuencia, generaciones enteras ya no fueron capaces de entender ni de transmitir información. Además, y aquí es donde se encuentra la entrada del Sr. Hubbard al problema, los estudiantes de las décadas de los 60 y 70 no eran capaces de utilizar las herramientas de estudio que él había creado con anterioridad, simplemente por que no eran capaces de definir las palabras necesarias para captar instrucciones clave. Por esta razón, el Sr. Hubbard empezó a referirse a estos estudiantes como "personas sin comunicación con la vida".

Si una persona comprende en verdad lo que lee y escucha, y si es capaz de darse a entender,

L Ronald Hubbard ganó fama en un principio como escritor en un momento en el que incluso las revistas populares de la época esperaban que sus lectores apreciaran un vocabulario rico y variedad de estilo. Sólo un escritor profesional con la sensibilidad del escritor hacia el lenguaje, podía haber escrito un estudio tan innovador de la gramática. Sólo un escritor así vería la gramática no como un conjunto de reglas constrictivas, sino como algo lleno de posibilidades para una expresión rica en pensamiento y acción.

Con este libro, L. Ronald Hubbard cerró el círculo y regresó al campo de la enseñanza del lenguaje, ya que fue en la década de los años 40 cuando empezó a enseñar a escribir a los escritores.

Este es un libro brillante escrito por una mente brillante. En realidad, es una revolución del pensamiento.

David Rodier, Doctor en Filosofía y Letras
Profesor Adjunto de Filosofía del Lenguaje
American University, Washington, DC

Por medio de ilustraciones y un texto simple y directo, Pequeñas Palabras Comunes Definidas *le ayuda a uno a obtener una comprensión plena de la comunicación escrita y hablada.*

toda la vida se abrirá ante ella. Por otra parte, la vida se cierra en la medida en que la persona no puede expresarse o darse a entender. Este es el tema de *La Llave de la Vida*. Paso a paso, este libro literalmente desmonta todas las razones por las que uno no pueda comprender claramente lo que lee, escribe y escucha, y de las razones por las que los demás no puedan comprenderle.

Un elemento central del curso es una visión del lenguaje, no como una conglomerado fortuito de palabras organizado por los especialistas en gramática, sino como un medio para facilitar la comunicación de las ideas. Contiene palabras, no como cosas sagradas que deben diseccionarse y clasificarse por sí mismas, sino como herramientas de uso.

De igual forma, el Sr. Hubbard presenta una visión completamente nueva de la gramática inglesa, no como un estudio de reglas, sino como la manera en que las palabras están organizadas para que las personas puedan transmitir con precisión pensamientos, ideas y significados entre sí.

Su exposición de este tema se titula: *La Nueva Gramática*. Como antecedente, señala que si el hombre común no tiene un concepto claro de la gramática, es por que este tema, por tradición, carece de claridad. De hecho, en manos de los especialistas en gramática, con sus intrincados diagramas para las oraciones, el tema no ha llegado a ser otra cosa que autoritario. Además, el tema está tan lleno de opiniones diversas que el Sr. Hubbard no pudo encontrar un texto estándar que no entrara en contradicción con los demás textos.

Por todo ello, presentó *La Nueva Gramática*, que no sólo ofrece una nueva explicación de la gramática, sino que vuelve a definir el material en su totalidad para su uso común. En lo que a esto respecta, el Sr. Hubbard hizo nada menos que arrancar la gramática inglesa de manos de las "autoridades" para devolverla a las personas comunes. Con ese propósito, despojó del material sus elementos arbitrarios, sus contradicciones, y todo lo que simplemente es irrelevante. En lugar de eso, presenta información esencial y de fácil comprensión sobre el lenguaje, tal como se usa y para facilitar su uso.

Con ese mismo propósito, incluso proporciona ilustraciones para comunicar lo que los estudiantes normalmente podrían no entender sólo a través de la palabra escrita. De hecho, todos los materiales de *La Llave de la Vida* tienen este tipo de ilustraciones, ya que, como argumentó el Sr. Hubbard: ¿De qué otra manera le podemos enseñar el significado de una palabra a un estudiante que no comprende las palabras que utilizamos para enseñarle? En respuesta a esto *La Nueva Gramática* y los demás textos de *La Llave de la Vida* definen sus conceptos con *imágenes*.

El resultado es una obra que aclara de manera magistral la construcción de la lengua inglesa para facilitar y mejorar la comunicación. Como el profesor adjunto de filosofía del Lenguaje en la Universidad Americana de Washington, DC, David Rodier declaró: "Este libro toma la gramática y la hace sencilla. Ayuda a los individuos a entender los elementos básicos del idioma inglés y la manera de usarlos para comunicarse mejor, expresar sus pensamientos y entender lo que leen... Sólo un escritor profesional, con la sensibilidad de un escritor hacia el lenguaje, podía haber escrito una aproximación a la gramática tan innovadora. Sólo un escritor de esta categoría pudo ver la gramática, no como un conjunto de reglas constrictivas, sino como algo lleno de posibilidades para una expresión rica en el pensamiento y la acción". En lo que a esto respecta, concluye: "Este es un libro brillante escrito por una mente brillante. De hecho, es una revolución en el pensamiento".

No se puede decir menos del segundo texto clave del Sr. Hubbard, *Pequeñas Palabras Comunes Definidas*. Esta obra refleja asimismo una destilación del lenguaje hasta llegar a sus unidades fundamentales. El texto también refleja su descubrimiento crítico de como el

LO QUE DESEAS EN LA EDUCACIÓN ES ENSEÑARLE A UNA PERSONA CÓMO CONSEGUIR, ASIMILAR, USAR, DESARROLLAR Y TRANSMITIR CONOCIMIENTO. ESOS SERÍAN TODOS LOS PASOS QUE INTERVIENEN, Y ESO ES LO QUE SE DEBE HACER SI SE ESTÁ INTENTANDO EDUCAR A ALGUIEN.

L. RONALD HUBBARD

principal obstáculo para comprender una oración no son las palabras largas y abstrusas sino las palabras simples, como por ejemplo: "para", "el", "un". Si este comentario no parece importante, lo es. Porque, aunque uno pueda ser capaz de leer y pronunciar la oración: "Bueno como el oro", son pocos los que en realidad puedan definir la palabra "como", y en consecuencia la comprensión no es *completa*. Para apreciar mejor el problema, uno sólo necesita abrir un diccionario estándar y examinar las diversas definiciones de esta palabra. El estudioso de la lengua podría quedar satisfecho, pero no el lector medio; como confirmó un estudio que el Sr. Hubbard hizo al final de la década de los 70 con licenciados universitarios que no podían definir ni siquiera las preposiciones más sencillas. En consecuencia, hasta los materiales comunes que se leen por placer, como por ejemplo, las novelas de ediciones populares, no se entendían por completo. De esta forma, su conclusión fue que la razón por la que uno no podía comunicarse de manera eficaz, no era por falta de lo que se considera un vocabulario amplio, sino que se debía a la incapacidad de poder comprender los elementos fundamentales sobre los que debe descansar todo vocabulario más extenso.

Lo que ofrece el texto titulado *Pequeñas Palabras Comunes Definidas* del Sr. Hubbard, es pues, una comprensión plena de estos elementos fundamentales. En total, define las sesenta palabras que se usan más comúnmente en inglés, utilizando una vez más ilustraciones para su fácil comprensión. Después, para posibilitar el que el estudiante construya sobre ese vocabulario, ofrece adicionalmente el libro *Cómo usar el diccionario*. Al proporcionar explicaciones concisas de códigos fonéticos, puntuación,

abreviaturas y mucho más, *Cómo usar el diccionario* resuelve lo que muchos programas de estudio de Norteamérica nunca se molestaron siquiera en considerar: en cuanto una persona abre un diccionario, aunque sea para niños, encuentra terminología y símbolos relativos al origen de las palabras que por lo general no se entienden ni se explican de manera adecuada. En consecuencia, el estudiante ni siquiera tiene *los* medios más elementales para entender el idioma. De aquí, la solución que el Sr. Hubbard da también a este problema.

A lo que todos estos textos llevan, entonces, es a un estudiante que tiene la verdadera clave para el idioma inglés: una firme comprensión de la manera en que se construye el lenguaje, y cómo usarlo de la forma más efectiva para lograr una comunicación superior y una mejor comprensión. Cuando se considera todo el conjunto de sensacionales avances educativos que el Sr. Hubbard logró en el campo de la educación, vemos nada menos que una revolución potencial en el aprendizaje.

Para citar sólo algunas de las excepcionales mejoras educativas que han sido posibles gracias a los descubrimientos del Sr. Hubbard, presentamos lo siguiente:

Un estudio llevado a cabo en Los Ángeles reveló un aumento promedio equivalente a 1,8 años en vocabulario y comprensión después de sólo diez horas de instrucción sobre la Tecnología de Estudio. De hecho, un estudiante aumentó lo equivalente a más de cinco años, según los resultados de sus pruebas, después de sólo veinte horas de instrucción. Así mismo todos los profesores relacionados con esto informaron que como resultado directo de la Tecnología de Estudio, hubo una mejoría general en la habilidad de sus estudiantes para aprender y para leer, y también se logró una mejoría inesperada en su comportamiento general.

En un estudio llevado a cabo en Arizona, se aplicaron pruebas a los estudiantes después del inicio del año escolar y luego seis meses más tarde. Mientras duró el estudio, los profesores dieron sus clases utilizando la Tecnología de Estudio. Las pruebas estándar de lectura revelaron un avance promedio de dos años en comprensión y vocabulario. Siendo cuatro veces mayor de lo esperado, el

El Hat del Estudiante de L. Ronald Hubbard, la recopilación más completa sobre el tema del estudio, consta de 12 conferencias y más de 120 páginas de texto, proporcionando al individuo la única tecnología funcional de cómo estudiar.

logro es especialmente singular si se toma en cuenta que no se dio instrucción individual.

En una clase de una escuela preparatoria de Sudáfrica, se preparó a un grupo de estudiantes de bajo nivel socio-económico con los métodos educativos del Sr. Hubbard y los logros no fueron menos extraordinarios. Al final del año escolar, los estudiantes lograron un 91 por ciento de aprobados en el examen del Departamento de Educación de ese país. Un grupo de control, que no había recibido la misma preparación, obtuvo un 27 por ciento de aprobación en el mismo examen.

A lo largo de las calles desesperanzadas de los barrios bajos de la comunidad de Compton en Los Ángeles, la Tecnología de Estudio del Sr. Hubbard logró milagros igualmente impresionantes: resultados equivalentes a todo un año académico se lograron en no más de veinte a cuarenta horas de estudio parcial, y esto, con miembros de pandillas callejeras y otros alumnos con desventajas culturales.

"En nuestras manos descansa el futuro del mundo", escribió el Sr. Hubbard, "ya que al educar a nuestros niños los formamos con el modelo de lo que vendrá". Es trágico que ese modelo de lo que vendrá con frecuencia es un escenario desolador en que comunidades enteras de niños crecerán sin una concepción real de la página impresa o del poder de las palabras. Pero si tomamos en cuenta lo que el Sr. Hubbard nos ha dejado, en verdad, hay esperanza. Además de las obras para niños ya mencionadas, el Sr. Hubbard se aseguró de que sus avances en el campo de la educación estuvieran al alcance de la gente joven con sus libros: *El Libro ilustrado para niños de cómo usar el diccionario* y *Gramática y Comunicación para niños*. Y que quede perfectamente claro, estas obras *están* creando una diferencia.

Liceo C.B.C. Francisco M. Seijas

Al Señor

Ronald Hubbard

En nombre de la Comunidad Educativa, que me honra en dirigir, deseo expresar nuestras frases de reconocimiento por sus Técnicas de Estudios, las cuales enseñadas y aplicadas por un breve período de tiempo en un amplio sector estudiantil, produjeron significativos cambios en el rendimiento académico: de un anterior 45% subió a un 80% de alumnos aprobados en dos secciones y al 100% en otras dos.

En nuestro agradecimiento reciba Ud. nuestra palabra de apoyo para expandir la aplicación

---

CITY OF TUCSON OFFICE OF THE MAYOR
PROCLAMATION

WHEREAS, March 13th is the birth date of the acclaimed American author and humanitarian L. Ron Hubbard who devoted his life's work to sincerely helping others in the face of many obstacles; and

WHEREAS, in 1951 he defined the importance and role of artists in society with his statement that, "A culture is as rich and as capable of surviving as it has imaginative artists, skilled men of science, a high ethic level, workable government, land and natural resources, in about that order of importance"; and

WHEREAS, L. Ron Hubbard's work in the arts and his codification of the basics of art has inspired some of the greatest actors, painters, writers, musicians, and singers and these artists have also been inspired by him to help others through learning programs, drug, and criminal rehabilitation programs; and

WHEREAS, when a community leader recognizes the importance of artists and encourages their work, that society also validates programs which are making strides towards upgrading the society and improving the lives of those in our community.

NOW, THEREFORE, I, George Miller, Mayor of the City of Tucson, Arizona, do hereby proclaim March 13, 1995, to be

L. RON HUBBARD DAY

PROCLAMATION

WHEREAS, March 13th is the birth date of the acclaimed American author and humanitarian, L. Ron Hubbard; and,

WHEREAS, he pursued his work to sincerely help others in the face of many obstacles; and,

WHEREAS, in 1951, he defined the importance and role of artists in society with his statement that, "A culture is as rich and as capable of surviving as it has imaginative artists, skilled men of science, a high ethic level, workable government, land and natural resources, in about that order of importance;" and,

WHEREAS, L. Ron Hubbard's work in the arts and his codification of the basics of art has inspired some of the greatest actors, painters, writers, musicians and singers; and,

WHEREAS, these artists have also been inspired by him to help others through learning programs, drug and criminal rehabilitation programs; and,

WHEREAS, when a community leader recognizes the importance of artists and encourages their work, that society also validates programs which are making strides towards upgrading the society and improving the lives of those in our community;

NOW THEREFORE, I, Robert L. Istre, Mayor of the City of Crowley, do hereby proclaim March 13, 1995 as

L. RON HUBBARD DAY

in Crowley, Louisiana and I encourage all who hear this proclamation to recognize L. Ron Hubbard's contributions and to work in the arts with honesty and sincerity, as he did, to help others live happier lives and to create a better world.

IN WITNESS WHEREOF, I have hereunto set my hand and caused the Great Seal of the City of Crowley, Louisiana, to be affixed this the 7th day of February, 1995.

ROBERT L. ISTRE, MAYOR
CITY OF CROWLEY, LOUISIANA

Proclamation
By the Mayor
of the
CITY OF FRANKFORT

To all to Whom These Presents Shall Come:

WHEREAS, March 13th is the birth date of the acclaimed American author and humanitarian, L. Ron Hubbard; and

WHEREAS, He pursued his work to sincerely help others in the face of many obstacles; and

WHEREAS, In 1951, he defined the importance and role of artists in society with his statement that, "A culture is as rich and as capable of surviving as it has imaginative artists, skilled men of science, a high ethic level, workable government, land and natural resources, in about that order of importance; and

WHEREAS, L. Ron Hubbard's work in the arts and his codification of the basics of art has inspired some of the greatest actors, painters, writers, musicians and singers; and

WHEREAS, These artists have also been inspired by him to help others through learning programs, drug and criminal rehabilitation programs; and

WHEREAS, when a community leader recognizes the importance of artists and encourages their work, that society also validates programs which are making strides towards upgrading the society and improving the lives of those in our community.

NOW, THEREFORE, I, Huston Wells, Mayor of the City of Frankfort, Kentucky, do hereby proclaim March 13, 1995 as

"L. RON HUBBARD DAY"

in Frankfort, and encourage all who hear this proclamation to recognize L. Ron Hubbard's contributions and to work in the arts with honesty and sincerity, as he did, to help others live happier lives and to create a better world.

Done at the Municipal Building, the City of Frankfort, this 8th day of February, in the year of our Lord, one thousand nine hundred and ninety-five.

City of Youngstown
Proclamation
Mayor Patrick J. Ungaro

WHEREAS: March 13th is the birth date of author and humanitarian L. Ron Hubbard; and

WHEREAS: Mr. Hubbard devoted his life's work to helping mankind, and through his writings and discoveries endeavored to help others to lead happier, successful lives; and

WHEREAS: His works have touched the lives of people around the world in nearly 100 nations; and

WHEREAS: L. Ron Hubbard lived what he expressed in these words, "On the day that we can fully trust each other there will be peace on earth."

NOW THEREFORE, I, PATRICK J. UNGARO, as Mayor of the City of Youngstown, do hereby proclaim March 13, 1994 as

L. RON HUBBARD DAY

World Literacy Crusade
"LIBERTY BELL OF FREEDOM"

PRESENTED TO
L. RON HUBBARD
A HUMANITARIAN WHOSE FIGHT FOR THE BETTERMENT OF MAN, WILL BE RECORDED IN THE ANNALS OF HISTORY

PROCLAMATION

WHEREAS, March 13th is the birth date of the acclaimed American author and humanitarian, L. Ron Hubbard; and

WHEREAS, he pursued his work to sincerely help others in the face of many obstacles; and

WHEREAS, his discoveries, developments and writings have brought unprecedented success in handling criminality, drug dependency and illiteracy, and in bringing personal happiness and achievement; and

WHEREAS, this success has brought a multitude of testimonial letters of thanks and friendship, favorable media and acknowledging awards applauding the successful appreciation of his discoveries;

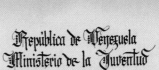

ASED LTDA.

RECONOCEMOS A

L. RONNED HUBBARD

COMO EDUCADOR Y FILOSOFO

GRACIAS: POR BRINDARNOS LA OPORTUNIDAD DE UN FUTURO MEJOR

MARIANA HOLGUIN A.   MANUEL VESID ROJAS

COLEGIO DE SANTA LIBRADA
DE CALI
170 AÑOS
ALUMNOS DE LOS GRADOS 10 Y 11
JORNADA DE LA MAÑANA
AGRADECIMIENTO A
L. Ronald Hubbard
EDUCADOR Y FILOSOFO

THIS IS A

THANK YOU

FROM THE RUSSIAN STUDENTS

TO

MR. L. RON HUBBARD

⊰⊱⊰⊱⊰⊱

THE TECHNOLOGY YOU HAVE

PROVIDED WILL HELP US TO

ACHIEVE THE GOALS OF RUSSIA

⊰⊱⊱⊱⊰⊰

MARCH 13, 1994

República de Venezuela
Ministerio de la Juventud

Instituto Nacional del Menor

Albergue Santa Mónica

"INAM"

En reconocimiento al Educador

Lafayette Ronald Hubbard

Por los hermosos resultados obtenidos por sus técnicas, las cuales han sido recibidas por las alumnas de este Instituto, notándose en ellas su receptividad así como mejoras elevadas en su nivel de comportamiento y rendimiento que a la larga nos conducirá al mejoramiento del individuo como ente de una sociedad, cada vez más necesitada de impulsos que la conlleven a cumplir metas; y es a través de la comunicación y la implantación de sus técnicas que se puede contribuir con ello y ayuda a nuestra superación.

Le expreso nuestro agradecimiento por su valioso aporte a la formación integral de nuestras alumnas y lo hago...

City of Wilmington
Delaware

Office of the Mayor

RON HUBBARD DAY

March 13th is the birth date of the acclaimed American author and ...; and

pursued work to sincerely help others in the face of many obstacles; and

us discoveries, developments and writings have brought unprecedented , drug dependency and illiteracy, and in bringing personal happiness and

this success has brought a multitude of testimonials, le d acknowledgements and awards applauding the suc

ks successful endeavors in reducing crime, substance 'n greater trust and understanding amongst

orks, L. Ron Hubbard lived what he expr , there will be peace on Earth."

JAMES H. SILLS JR., Mayor of the , 1994, as

HUBBARD DAY

urage all who hear this proclamation t onesty and sincerity, as he did, to help oth

In Witness Whereof, I l Hand and Seal of Offi day of

COLEGIO DE
SANTA LIBRADA DE CALI
170 AÑOS
RECONOCIMIENTO A
L. Ronald Hubbard
EDUCADOR Y FILOSOFO
POR SU VALIOSO APORTE
AL CAMBIO EDUCATIVO
CON LA PROMESA DE UNA VIDA MEJOR
Roberto Avendano de Horta

City of East Chicago, Indiana

Proclamation

Durante la pasada década, L. Ronald Hubbard recibió miles de reconocimientos, proclamaciones y premios como agradecimiento por sus descubrimientos y contribuciones en el campo de la educación.

EL ADMINISTRADOR

"**N**o son los sueños del hombre lo que le hacen fallar", afirmó L. Ronald Hubbard en 1969. "Es la falta del conocimiento práctico necesario para llevar esos sueños a la realidad". Por esa razón, y sólo por esa razón, "Naciones enteras, por no mencionar empresas, sociedades o grupos, han pasado décadas debatiéndose en confusión".

Las consecuencias de esto saltan a la vista todos los días en los titulares de las noticias que hablan de los déficits paralizantes, los onerosos impuestos, los negocios que fracasan; y más de treinta millones de personas –sólo en los prósperos Estados Unidos– viven actualmente por debajo del umbral de la pobreza. Por ello, no sin razón, el Sr. Hubbard añade: "La felicidad del hombre y la longevidad de las empresas y estados, aparentemente dependen del conocimiento práctico de como organizar".

Si entendiéramos realmente cómo funcionan mejor los individuos (sus necesidades, sus aspiraciones, y el origen de sus fracasos) entenderíamos de forma natural cómo funcionan mejor los grupos de individuos. Esta era la perspectiva desde la que L. Ronald Hubbard enfocó los problemas de cómo cooperamos con los demás: no con triquiñuelas administrativas o con decretos autoritarios, sino con una visión especialmente solidaria de los grupos como individuos unidos en un propósito común.

En total, el Sr. Hubbard dedicó más de treinta años de su vida desarrollando y codificando las políticas administrativas con las que las organizaciones de Cienciología funcionan. Estas políticas se derivan de las leyes fundamentales que gobiernan toda conducta humana y, por tanto, constituyen un conjunto de conocimiento tan importante sobre

el tema de los grupos de individuos como lo son sus escritos sobre Dianética y Cienciología para la rehabilitación del espíritu de cada individuo. Ciertamente, hasta la llegada de Dianética y Cienciología, se desconocían realmente los principios que gobiernan las actividades de los grupos, tanto como se desconocían los principios que gobiernan la mente humana.

En el centro de los descubrimientos administrativos del Sr. Hubbard está el organigrama, u "Org Board" (del inglés, "Tablero de Organización") como más comúnmente se conoce. El organigrama, desarrollado en 1965, es el diagrama modelo de la organización, que establece con precisión todas las funciones que se necesitan para que una actividad de grupo tenga éxito. De hecho, el organigrama describe en realidad el patrón ideal de organización para cualquier actividad.

Ese patrón establece las actividades, ya sean las de un grupo o las de un individuo, en términos de siete divisiones esenciales. Esas divisiones, a su vez establecen todos los deberes, posiciones y acciones necesarias para un esfuerzo coordinado. Las divisiones del organigrama de la uno a la siete están establecidas en una secuencia conocida como *ciclo de producción*. Una vez más, esta secuencia no está basada en forma alguna en un dato arbitrario. Cuando el Sr. Hubbard habla del ciclo de producción no se refiere en términos de línea de ensamblaje o de la máquina humana que constituye el patrón organizacional en el mundo empresarial. Más bien se refiere a aquellas actividades específicas que toda producción, ya sea individual o de grupo sigue de forma natural. En realidad si uno desea lograr *cualquier cosa*, debe realizar estos siete pasos básicos. En lo que a esto se refiere, el organigrama no es simplemente el método ideal para organizar con éxito, es en realidad el *único* método para organizar con éxito.

Una vez definida la forma ideal de organización, el Sr. Hubbard proporciona a continuación las políticas administrativas específicas sobre las que esta funciona. Estas políticas administrativas contienen una serie de textos de referencia conocidos como el *Curso Ejecutivo de la Organización (OEC)*. Los volúmenes del *OEC* proporcionan la teoría y particularidades de cada una de las facetas

SECRETARIO EJECUTIVO DE COMUNICACIONES

DIVISIÓN 7
División Ejecutiva

La División Ejecutiva coordina y supervisa las actividades de la organización de manera que funcione con fluidez, elabore sus productos en forma viable y entregue sus productos y servicios a los individuos y a la comunidad de forma inmejorable. Dirige con éxito la actividad mediante las siguientes funciones:

■ Realiza la planificación de la organización y se asegura de que esta se lleve a cabo, de forma que se logren los objetivos.

■ Se encarga de que la tecnología y la política de la organización se siga sin desviaciones.

■ Conserva en buen estado los locales y adquiere espacio adicional para dar cabida a su expansión.

■ Mantiene relaciones gubernamentales pertinentes y se encarga de los asuntos legales.

■ Si se trata de una compañía, esta oficina puede incluir la oficina de la persona que comenzó la organización o la que desarrolló el producto que hace esa compañía.

DIVISIÓN 1
División de Comunicaciones

La división de Comunicaciones es totalmente responsable de establecer la organización. Lo lleva a cabo por medio de las siguientes acciones:

■ Contrata miembros de personal calificados y los establece en sus puestos de la forma apropiada, para beneficio de la persona y de la organización.

■ Se encarga de que el personal nuevo y el ya existente sepan cómo hacer sus trabajos.

■ Desarrolla sistemas estándar de comunicación y se encarga de que se sigan las rutas establecidas de comunicación; de forma que se manejen todas las comunicaciones con rapidez y en forma apropiada. Se asegura de que la correspondencia que se recibe del público y la que se envía a este desde la organización, llegue a su destino y se maneje con rapidez.

■ Reúne y hace con exactitud las gráficas de las estadísticas de la organización para que las usen los ejecutivos.

■ Mantiene un alto nivel de conducta ética en el personal.

■ Inspecciona las actividades de la organización, de manera que se descubra e informe al ejecutivo apropiado, de cualquier dificultad que inhiba la expansión para que se resuelva de inmediato.

DIVISIÓN 2
División de Diseminación

La división de Diseminación hace que se conozcan ampliamente los productos y servicios de la organización, y haya una gran demanda de los productos y servicios de la organización, y hace que esto se logre en una gran cantidad de personas. Para conseguir esto se llevan a cabo las siguientes acciones:

■ Utiliza medios informativos por correo, revistas, promociones y otros medios publicitarios para informar al público de los servicios y productos de la organización, y de los materiales publicados que ofrece de forma que se adquieran en cantidad viable.

■ Mantiene un stock adecuado de todos los materiales publicados, de forma que pueda disponerse de ellos de inmediato.

■ Establece contacto con las personas que han expresado interés en los productos de la organización para que los adquieran.

■ Mantiene la relación exacta de personas que recibieron servicio anteriormente u obtuvieron productos de la organización y mantiene correspondencia con ellas para que puedan adquirir más productos y servicios.

DIRECTOR EJECUTIVO

SECRETARIO EJECUTIVO DE LA ORGANIZACIÓN

DIVISIÓN 3
División de Tesorería

DIVISIÓN 4
División de Producción

DIVISIÓN 5
División de Calificaciones

DIVISIÓN 6
División Pública

división de Tesorería maneja los ...untos financieros, bienes y suministros ...la organización cuidando así por ...mpleto de su cuerpo físico, ...rmitiéndole crear sus productos, ...tregar sus servicios y permanecer ...lvente. Sus funciones incluyen lo ...guiente:

...Maneja los fondos que se reciben en ...ercambio por los productos de la ...ganización, de manera que se registren ...forma apropiada.

...Desembolsa el dinero para compras, ...go de facturas y nóminas del personal, ...forma que la organización cumpla con ...s obligaciones financieras y las demás ...visiones tengan los medios para crear ...s productos.

...Mantiene la relación detallada de todas ...s transacciones financieras, hace la ...ntabilidad necesaria y los informes ...ancieros necesarios, y cuida de todos ...s bienes y reservas.

En la división de Producción es donde se elaboran los productos de la organización. Logra sus propósitos al llevar a cabo las siguientes acciones:

■ Se asegura de disponer de los fondos y recursos para la producción.

■ Planifica la producción para conseguir una eficiencia óptima y el mejor servicio al público.

■ Elabora el producto de la organización y entrega sus servicios con rapidez, en grandes cantidades y con excelente calidad de manera que la gente esté satisfecha con los resultados.

La división de Calificaciones se encarga de que todos los productos que salgan de la organización tengan el nivel esperado de calidad. Para lograr esto hace lo siguiente:

■ Examina la validez y corrección de los productos, pasando su revisión o certificación de manera que todo producto se certifique, o se corrija para poder ser certificado de forma que alcance el estándar de la organización o el estándar de calidad del producto.

■ Revisa el producto de la organización para aislar las causas de la aparición de cualquier nivel de calidad por debajo del aceptable.

■ Revisa las acciones del personal y las corrige cuando sea necesario de manera que la tecnología y la política se apliquen con excelentes resultados.

■ Se ocupa del personal como individuos de manera que lleguen a entrenarse por completo en todos los aspectos de sus trabajos, en la política y tecnología de la organización y se conviertan en miembros competentes y buenos colaboradores para el grupo.

La división Pública, a través de todas sus actividades, hace que se conozcan y distribuyan los servicios y productos de la organización al público en general. Para lograr esto, se asegura de que se lleven a cabo las siguientes actividades:

■ Se asegura de que la apariencia de la organización y de su personal sea excelente.

■ Hace que la organización y sus productos y servicios sean bien conocidos en la comunidad.

■ Trabaja con grupos comunitarios y otras organizaciones para mejorar la sociedad.

■ Establece y crea centros de distribución productivos fuera de la organización, que ofrecen los servicios y productos de la organización al público nuevo.

■ Registra y hace que se conozcan ampliamente entre el público los éxitos de las actividades de la organización y sus productos.

El Organigrama desarrollado por L. Ronald Hubbard contiene siete divisiones, con deberes y funciones específicas en cada una. La totalidad de la tecnología administrativa del Sr. Hubbard está contenida en el Curso para Ejecutivos de Organización *de ocho volúmenes. El volumen 0 (página opuesta, a la izquierda), el* Hat Básico del Staff, *contiene todas las políticas relacionadas con cualquier miembro del staff de una organización. Los siete volúmenes restantes, numerados del 1 al 7, corresponden a las divisiones del organigrama numeradas de la misma manera. Cada volumen divisional contiene todas las políticas relacionadas con el propósito y funciones de esa división.*

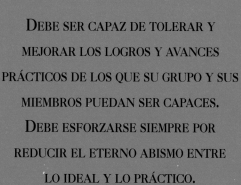

UN DIRECTOR, PARA SER EFECTIVO
Y TENER ÉXITO, DEBE COMPRENDER
DE FORMA PLENA LAS METAS
Y PROPÓSITOS DEL GRUPO QUE DIRIGE...

DEBE SER CAPAZ DE TOLERAR Y
MEJORAR LOS LOGROS Y AVANCES
PRÁCTICOS DE LOS QUE SU GRUPO Y SUS
MIEMBROS PUEDAN SER CAPACES.
DEBE ESFORZARSE SIEMPRE POR
REDUCIR EL ETERNO ABISMO ENTRE
LO IDEAL Y LO PRÁCTICO.

L. RONALD HUBBARD

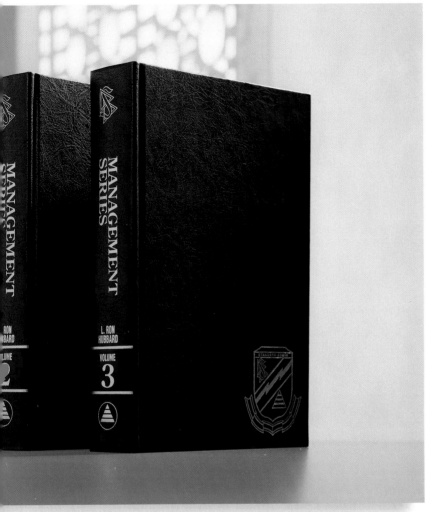

Los Volúmenes de la Serie de Administración de L. Ronald Hubbard contienen todas las herramientas necesarias para una dirección con éxito y de un alto nivel, incluyendo avances en la tecnología administrativa en relación al personal, la organización, las finanzas, la dirección mediante computadora, la mercadotecnia y las relaciones públicas.

Después de haber tenido una oportunidad directa de ahondar en profundidad en los escritos administrativos de L. Ronald Hubbard, estoy impresionado. La tecnología está infundida de un gran sentido común y funcionalidad.

No conozco ningún otro cuerpo de leyes y métodos administrativos que sea tan completo, tan funcional y aplicable en tantos campos como el del Sr. Hubbard. Su filosofía relativa al conocimiento práctico de cómo organizar y sus lúcidas explicaciones para aplicarla, merecen que sea utilizada ampliamente en la industria, en las empresas y en los gobiernos.

Robert Goldscheider
Presidente de la Red de Autorización Internacional, Ltd.
Asesores de Tecnología de Dirección

operativas de una organización: desde la contratación de personal hasta la conducta ética de los empleados, desde la promoción hasta el control de calidad y mucho más. De hecho, hay un volumen que corresponde a cada una de las divisiones del organigrama, que establece las operaciones y funciones exactas de esa división. En una serie de volúmenes adicionales llamados la *Serie de Administración* el Sr. Hubbard provee al ejecutivo, de igual forma, de todo lo que necesita saber sobre los temas de cómo dirigir una organización, cómo organizar, cómo ser un ejecutivo, cómo establecerse, cómo tratar al personal e incluso el arte de las relaciones públicas. De esta manera, los volúmenes del *OEC* proporcionan las políticas a través de las cuales se lleva una organización, mientras que la *Serie de Administración* proporciona las políticas con las que se dirigen las organizaciones.

Entre los principios que se encuentran en estas políticas, está el principio clave de las "Condiciones de la existencia" que el Sr. Hubbard define en términos de niveles de éxito o supervivencia de algo. El administrador sagaz, que habla en términos de "salud empresarial", conoce el concepto básico de una forma vaga. Pero mientras que la idea de salud empresarial implica sólo dos estados: bueno o malo, y no ofrece medios precisos para mejorar su salud, el Sr. Hubbard proporciona muchísimo más. Específicamente, el Sr. Hubbard analizó en detalle los diversos grados de supervivencia: desde un estado de inexistencia pasando por una situación peligrosa, y de una condición de emergencia, a una de normal, hasta llegar a la afluencia y más tarde a poder. Además, escribió de forma precisa las fórmulas necesarias, o las acciones que uno debe llevar a cabo para mejorar cualquier condición. Es decir, al realizar simplemente los pasos señalados uno va ascendiendo a la siguiente condición a través de cada una de ellas, hasta que la organización se encuentre prosperando de verdad.

Para eliminar cualquier duda posible sobre la condición operativa en la que uno se encuentra, el Sr. Hubbard elaboró aún más los métodos para controlar la salud organizacional por medio de estadísticas. La estadística, como él la definió, es un número o cantidad comparada con un número o cantidad anterior de la misma cosa. De esta manera las estadísticas se refieren a la cantidad de trabajo realizado o a su valor y son la única medida lógica de cualquier producción o actividad ya sea de una organización o de un

Los Problemas del Trabajo, *de L.Ronald Hubbard, contiene los fundamentos relacionados con la tecnología a aplicar en el lugar de trabajo, como la manera de resolver la confusión y ser efectivo en el desempeño de nuestros deberes.* Cómo vivir a pesar de ser un ejecutivo *cubre principios avanzados de administración, incluyendo cómo dirigir una compañía de manera eficiente y cómo dirigir a los empleados.*

individuo. Administrativamente, entonces, las estadísticas proveen el termómetro que mide la salud de la organización, mientras que las "Condiciones de existencia" del Sr. Hubbard proveen los medios para mejorar ese estado de salud. Estas herramientas, utilizadas correctamente, permiten poder aislar de forma exacta las áreas problemáticas, y mejorar esos puntos de dificultad.

Dado lo que los importantes descubrimientos administrativos del Sr. Hubbard representan al proporcionar las leyes naturales por las que los grupos operan realmente, era inevitable que sus descubrimientos administrativos llegaran a tener mucha demanda en la industria en general y en todas partes. Inicialmente, para satisfacer esa demanda, el Sr. Hubbard escribió dos libros para el público laboral: *Cómo vivir a pesar de ser un ejecutivo* que proporciona los principios avanzados para crear una mayor eficiencia, y *Los problemas del trabajo* que ofrece técnicas para esos males relacionados con el trabajo como son el estrés y el agotamiento. Como en todo lo que el Sr. Hubbard proporcionó en este campo, estas obras representan no un interés particular en los negocios, sino un deseo de hacer que los demás conocieran las verdades fundamentales de la vida, y teniendo en cuenta que el

trabajo ocupa una gran parte de nuestras vidas, sus esfuerzos en este campo fueron los adecuados. Como la voz sobre el contenido del grueso de las obras administrativas del Sr. Hubbard continuó propagándose, se fundaron los Colegios de Administración Hubbard.

Estas instituciones utilizan específicamente los descubrimientos del Sr. Hubbard para la expansión de la destreza profesional para encarar los retos de cómo administrar y llevar un grupo, una compañía o una organización. Se han fundado, hasta la fecha, diecisiete colegios de este tipo en Estados Unidos, Australia, Gran Bretaña, Suiza, Alemania, Sudáfrica, México, Venezuela, Ecuador y Rusia. Ya antes de los primeros años de la década de 1990 se habían entregado 35.000 cursos individuales de administración a hombres y mujeres de negocios de todos los sectores, es decir, de la industria pesada, la imagen, las comunicaciones, la salud y prácticamente todos los servicios profesionales.

Tal vez sea aún de mayor interés en la actualidad el uso de los métodos administrativos del Sr. Hubbard en el antiguo bloque soviético de naciones donde la privatización de la industria ha hecho necesaria una filosofía organizacional completamente nueva. Rusia cuenta ahora con cuatro Colegios de Administración Hubbard, con un promedio de casi 400 graduados por mes. En los duros esfuerzos del mismo proceso de privatización, los administradores húngaros han dirigido su atención de igual forma hacia las políticas organizativas del Sr. Hubbard y planean establecer su propio Colegio Hubbard. Al mismo tiempo en un hemisferio completamente distinto, 8.500 empleados del gobierno de Colombia aprenden en la actualidad los fundamentos de los métodos administrativos Hubbard así como lo hacen también los empleados del estado y condado de Texas.

La recesión, la inflación, el descenso de la productividad, las deudas, las huelgas, el desempleo, la pobreza y la privación; esos síntomas de decadencia económica demasiado familiares para todos nosotros, son en realidad indicadores de un problema mucho más profundo: una carencia paralizante de conocimiento práctico administrativo. Si todos los negocios y gobiernos de la actualidad pudieran aplicar de manera competente los principios básicos de organización y administración, llevarían a cabo soluciones operativas para lo que se ha convertido en un caos económico. Esa es la función de la tecnología administrativa de L. Ronald Hubbard: proporcionar los medios por los cuales los negocios puedan prosperar, los gobiernos gobernar sabiamente, la gente pueda liberarse de la presión económica y, en resumen, los sueños fallidos puedan volver a la vida.

Existen 17 Colegios de Administración Hubbard en todo el mundo, en los que más de 175.000 personas han aprendido a aplicar la tecnología de organización y dirección de L. Ronald Hubbard. La fotografía superior muestra el Colegio Hubbard en Kemarovo.

Colegio Hubbard en Santa Clara.

Colegio Hubbard en Taipei.

Colegio Hubbard en East Grinstead.

Colegio Hubbard en Moscú.

En un ensayo crucial escrito en 1965, L. Ronald Hubbard afirmó: "Durante quince años, entre otras ramas de la filosofía, he estudiado el tema del ARTE". Sus razones para ello eran dobles. La primera y más importante, como él mismo expuso: "El arte es el campo menos codificado de los empeños humanos y el que más a menudo se mal entiende". Observó que incluso su misma definición era todavía tema de intenso debate. De este modo, en una esfera puramente académica, quiso examinar el tema en sus términos más amplios y esenciales, y así resolver las cuestiones que filósofos y críticos han considerado durante años, lo que incluía la más fundamental de todas: *"¿Qué es el arte?"*

Sin embargo, su interés por este tema se debía también a otra razón: era algo que él consideraba muy importante. Unos treinta años antes había escrito: "Capturar mis propios sueños en palabras, pintura o música, y luego verlos vivir, es la clase de emoción más elevada que existe". Al referirse a los artistas en conjunto, afirmó que sólo ellos son capaces de configurar el futuro. Es obvio, entonces, que "este campo, en cierto modo abrumador, del ARTE", como él lo describía, no era uno que él tomara a la ligera; y, de hecho, tal vez sea imposible considerar la vida de L. Ronald Hubbard sin considerar sus logros artísticos.

Autor literario

En una ocasión el Sr. Hubbard comentó: "Lo que generalmente se pasa por alto, es el hecho de que mis escritos financiaron mi investigación". Y aunque es más conocido por los resultados finales de esa investigación, sus novelas e historias no se olvidarán nunca. Tras la publicación de más de quince millones de palabras de 1927 a 1941 el nombre L. Ronald Hubbard había llegado a ser prácticamente un sinónimo de la literatura de ficción popular a lo largo de la década de los 30; o en las palabras de su amigo y colega el autor Frederik Pohl, "En cuanto sus historias aparecían en los puestos de periódicos, se convertían en parte de la herencia cultural de cada uno de los entusiastas admiradores de las revistas 'pulp'". Teniendo en cuenta el volumen de su obra durante estos años, más de doscientas historias y novelas que abarcan todos los géneros populares: novela de misterio, del Oeste, de aventura, de fantasía, de ciencia ficción e incluso de romance, esa herencia cultural tenía realmente una gran riqueza.

Como era lo apropiado, la principal salida para la mayoría de sus historias durante aquellos años fueron las revistas llamadas en inglés, "pulps" por el papel de pasta de madera (pulpa) en que se imprimían; eran las publicaciones literarias más populares de la época. De hecho, antes de la llegada de la televisión, su impacto era en verdad único, ya que contaban con treinta millones de lectores fieles, una cuarta parte de la población de los Estados Unidos. Aunque estas revistas eran sobre todo un medio popular, no carecían de valor literario. Entre los autores cuyas carreras despegaron en revistas como *Argosy, Astounding Science Fiction, Black Mask, (La máscara negra)* y *Five Novels Monthly, (Publicación mensual de cinco novelas)* se encuentran Raymond Chandler, Dashiell Hammett, Edgar Rice Burroughs y Robert Heinlein. No era sin motivo, entonces, que el Sr. Hubbard evocara con orgullo "aquellos viejos tiempos" para hablar de las tardes que pasó con el gran Dash Hammett, Edgar "Tarzán" Burroughs y con el mismo "Pulp", Arthur J. Burks. Y aunque al Sr. Hubbard no le gustara hablar particularmente de su propio status, no por eso fue menos legendario.

De hecho, como recordaba Pohl: "Nadie hacía mejor lo que él hacía... lleno de colorido, emocionante, con retos continuos". Ejemplo de esto es la primera novela larga de L. Ronald

Esta es sólo una parte de los 15 millones de palabras en narrativa que L. Ronald Hubbard escribió entre 1934 y 1950.

AL ESCRIBIR UNA HISTORIA DE AVENTURAS, UN ESCRITOR TIENE QUE ENTENDER QUE ÉL ESTÁ TENIENDO ESAS AVENTURAS POR MUCHOS QUE NO PUEDEN TENERLAS. EL ESCRITOR DEBE LLEVARLOS DE UNA A OTRA PARTE DEL MUNDO Y HACERLES DESCUBRIR LA EMOCIÓN, EL AMOR Y EL REALISMO.

L. RONALD HUBBARD

Buckskin Brigades, (Las brigadas de piel de gamo) *1937. Fue el primer libro que se publicó de L. Ronald Hubbard.*

El Secreto de la Isla del Tesoro, *una de las muchas películas en las que L. Ronald Hubbard ayudara en el guión para la* Columbia Pictures, *en los años 30.*

Final Blackout (Oscurecimiento Final), Astounding Science Fiction, (Ciencia Ficción Asombrosa). *Abril de 1940.*

Oscurecimiento Final, *1992*

Oscurecimiento Final es "una obra de ciencia ficción tan perfecta como la que nunca se haya escrito hasta la fecha".
Robert Heinlein

Hubbard, *Buckskin Brigades (Las brigadas de piel de gamo),* aclamada como una de las primeras obras populares que ofrecía una visión precisa de los Indios Pies Negros; esta novela era lo que Pohl describía y mucho más. El periódico *New York Times* afirmó: "Sin duda, un tipo de novela poco común", esta novela fue una de las primeras en romper lo que había sido un lugar común bastante etnocéntrico de que el indígena norteamericano era un salvaje asesino. En lugar de eso, como declararan los miembros del consejo de la nación de los Pies Negros: "Nunca se había presentado nuestra moral y nuestra ética con tanta claridad". Otro hecho que marca a *Buckskin Brigades* como una obra única en su género, es que ascendió en las listas de best-sellers cuarenta años después de su publicación original.

Algo a lo que, en general, también se hacía referencia sobre la obra de L. Ronald Hubbard en la década de 1930, era su asombrosa versatilidad y su ritmo de producción. "Si se necesitaba una historia el lunes", explicaba el editor de *Standard Magazines,* Jack Schiff, "uno sólo tenía que telefonear a Ronald Hubbard el viernes", y esta afirmación no era una exageración. Su producción normal era de cien mil palabras al mes, por lo que el Sr. Hubbard llegó a ser el rey incuestionable de los escritores que producían a gran velocidad (y eso trabajando sólo tres días a la semana y en todos los géneros importantes).

Como escritor de guiones cinematrográficos en Hollywood durante este mismo período, su elevado número de producción de películas como *El piloto misterioso* y *Las grandes aventuras de Wild Bill Hickok* (el legendario comisario) para la Columbia; la serie *Spider (La araña)* para Warner Bros' fue asimismo extraordinario, y *El Secreto de la Isla del Tesoro* se erige como uno de los seriales

L. Ronald Hubbard, en el centro, en la segunda fila, con miembros de la organización local de Nueva York del Gremio de Ficción Americano. Era presidente del Gremio cuando se tomó esta fotografía en 1936.

de más éxito de todos los tiempos. Sus guiones durante el período de los años 30 no fueron su única contribución a la cinematografía y, de hecho, entre sus últimas obras en las décadas de los 70 y los 80, hay varios guiones de diversos géneros.

Sin embargo, aunque su producción es variada y prodigiosa, no se puede hablar de su papel en la narrativa americana durante la década de los 30 sin mencionar su influencia tanto en la remodelación de la ciencia ficción como en la huella realmente indeleble que dejó en la fantasía.

Corría el año de 1938, y aunque L. Ronald Hubbard todavía no era precisamente un nombre muy famoso, su aparición en la portada de *Thrilling Adventures (Aventuras Apasionantes)* o *Five Novels Monthly (Publicación mensual de cinco novelas)* garantizaba, de forma automática un aumento instantáneo en su circulación. (Lo mismo sucedía con varios pseudónimos que utilizó para abarcar los diversos géneros de sus obras.) Con la esperanza de capitalizar precisamente esa popularidad, *Street & Smith*, una empresa gigante de publicaciones, incluyó en su personal al Sr. Hubbard para ayudar a darle nueva forma a la publicación que acababa de adquirir: *Astounding Science Fiction (Ciencia Ficción Asombrosa)*. Aunque no estaba muy familiarizado con este género, al Sr. Hubbard le interesó la propuesta: aunque previamente *Astounding* había concentrado su obra en máquinas inverosímiles como naves espaciales, pistolas de rayos y robots, *Street & Smith* había decretado que esta revista debía tener un giro más humano con personajes plenamente desarrollados, en otras palabras, "personas reales".

El resultado fue una antología de ficción de la que siempre se hablará en los círculos de ficción especulativa, lo que incluye obras tan aclamadas como *Final Blackout (Oscurecimiento Final)* que Heinlein declaró ser "una obra de ciencia ficción tan perfecta como la que nunca se haya escrito hasta la fecha". Fue también a partir de este acuerdo con *Street & Smith* de donde se generó la

L. Ronald Hubbard empleó más de 15 pseudónimos, incluyendo Rene Lafayette, Lt. Scott Morgan y Capt. Charles Gordon, para abarcar los muchos géneros en los que escribió.

Sin duda, L. Ronald Hubbard es uno de los escritores más prolíficos y de mayor influencia del siglo veinte.

Stephen V. Whaley, Doctor en Filosofía
Profesor de inglés y lenguas extranjeras

Uno de los pocos libros del género de terror que en realidad merece el empleo del trillado calificativo de "clásico", ya que "Esta es una narración clásica de terror, amenaza y horror surrealistas".

Stephen King

Miedo, revista UNKNOWN (DESCONOCIDO), *julio de 1940*

Miedo, *1991*

incursión de L. Ronald Hubbard en el género de la fantasía, con la obra que marcó un hito en ese período: *Fear (Miedo)*. Sacado de su investigación etnológica, *Miedo* trata del conflicto entre ciencia y superstición, lo que con el tiempo llevó a Stephen King, el maestro del horror, a describirla como: "Uno de los pocos libros del género de terror que en realidad merece el empleo del trillado calificativo de 'clásico', ya que 'Esta es una narración clásica de terror, amenaza y horror surrealistas'".

Miedo, sin embargo, no fue en ningún modo la única obra de L. Ronald Hubbard que mereció el calificativo de "clásico". Después

de treinta años de estar lejos de la literatura de ficción para dedicarse al desarrollo de Dianética y Cienciología, el Sr. Hubbard regresó a ella en la década de 1980 con dos obras monumentales, *Battlefield Earth (Campo de Batalla: la Tierra)*, la novela épica de ciencia ficción más grande que se haya escrito, y *Mission Earth (Misión: la Tierra)* una obra de diez tomos y un millón doscientas mil palabras. Se anunció como una "saga descomunal y bulliciosa" con lo que A. E. Van Vogt llamó "Esa magnífica música de sabor característico de las revistas 'pulp' que se trasluce en cada oración", *Campo de Batalla: la Tierra*, pronto ganó el premio de la Academia de Películas de

Tiene de todo: suspense, patetismo, política, guerra, humor, diplomacia y finanzas intergalácticas.

Publishers Weekly (Semanario de Editoriales)

Campo de Batalla: la Tierra, *el best-seller internacional perenne: hasta ahora, se ha traducido a 13 idiomas y se ha publicado en más de 15 países. Es sin duda la novela de ciencia ficción de un sólo volumen más popular de las dos últimas décadas.*

Ciencia Ficción, Fantasía y Terror "*Golden Scroll Award*" y el Premio Saturno de esta misma Academia. Esta obra también recibió el Premio "Tetradramma D'Oro" en Italia (por el mensaje de paz inherente en la trama), y el Premio especial *Gutenberg*, por su contribución excepcional al género.

La serie de *Misión: la Tierra* no fue menos aclamada, recibiendo el Premio *Cosmos 2000* por parte de los lectores franceses y el *Nova Science Fiction* del Comité Nacional Italiano para la Ciencia Ficción y la Fantasía (un honor muy particular ya que el Sr. Hubbard fue el primer autor no italiano que recibió este premio). Esta serie también fue notable por el hecho de que

cada uno de sus diez tomos de inmediato llegó a los primeros lugares de las listas de éxitos editoriales incluyendo los nueve tomos sucesivos que se publicaron como obras póstumas. De hecho, en la misma época en que se publicaron sus obras no relacionadas con la ficción, el Sr. Hubbard tuvo 21 best-sellers internacionales consecutivos en las décadas de 1980 y 1990, algo nunca antes logrado en la historia editorial. Tanto *Misión: la Tierra* como *Campo de Batalla: la Tierra* se han convertido además en obras modelo en varias universidades y facultades, entre ellas, el ala de L. Ronald Hubbard de la Biblioteca Gorky de la Universidad de Moscú.

E*l plan de los invasores*, volumen 1 de *Misión: la Tierra*, es como *En Busca del Arca Perdida* pero con un carácter intergaláctico. Una vez que lo comienzas, difícilmente podrás dejarlo. En nuestra escala de 1 a 10, con el 10 como excelente, *El plan de los invasores* se lleva ese 10. Es una lectura fabulosa y divertida.

United Press International

Cada uno de los volúmenes de la serie Misión: la Tierra *fue un best-seller en las* listas del New York Times. *Se ha publicado en 12 países. En total, se han vendido más de siete millones de ejemplares en seis idiomas.*

ESCRITORES DEL FUTURO

Aunque *Campo de Batalla: la Tierra* y *Misión: la Tierra* fueron las últimas novelas de L. Ronald Hubbard, de ningún modo fueron el final de su compromiso de toda una vida con el arte de escribir. Años antes, como presidente de la agencia neoyorkina del *Gremio Norteamericano de Ficción, (American Fiction Guild)* abogó incansablemente para que los escritores nuevos fueran admitidos como principiantes en las filas profesionales del gremio, escribió artículos educativos para varias revistas profesionales y por otra parte ayudó a los autores nuevos o cuyas obras no se habían publicado a que tuvieran un lugar en lo que por tradición había sido un mercado cerrado.

En aquella época a finales de 1983, afirmó: "Inicié un medio para que los escritores nuevos y los que están en ciernes tengan una oportunidad para dar a conocer sus esfuerzos creativos y recibir el reconocimiento que merecen". Con esto anunció su *"Concurso de Los Escritores del Futuro" (Writers of the Future)*, que fundó con la intención específica de descubrir y alentar a los nuevos escritores de ficción especulativa. Este concurso ha llegado a ser el premio de su especialidad con más prestigio en su género. De hecho, ha llegado a ser el medio más grande, de más éxito y con mayor influencia visible en el mundo para los nuevos talentos creativos en ciernes en el mundo de la ficción contemporánea. Reflejo del interés del Sr. Hubbard en los artistas deseosos de triunfo, es que el único impedimento para participar consiste en que los candidatos no deben haber publicado nada con anterioridad. Para asegurar un criterio profesional en la selección de los ganadores, los jueces han representado algunos de los nombres más importantes dentro de la ficción especulativa, entre ellos: Robert Silverberg, Frank Herbert, Jerry Pournelle, Jack Williamson, Andre Norton y Anne McCaffrey.

Como el Sr. Hubbard originalmente inició su carrera en una era en que la ficción popular contaba con ilustraciones muy elaboradas, era de esperar que también creara el concurso paralelo *Los Ilustradores del Futuro (Illustrators of the Future)*. Se fundó para dar impulso al artista de ficción especulativa y concede premios en efectivo a los concursantes además de la publicación de su obra en una antología anual conocida como: *L. Ronald Hubbard presenta a los Escritores del Futuro*. Esta antología, dicho sea de paso, ha llegado a ser la obra más vendida de su tipo, y ha demostrado ser el trampolín para la publicación de posteriores obras de estos autores. De hecho, el concurso *L. Ronald Hubbard de Los Escritores del Futuro* hasta la fecha ha ayudado a hacer llegar más de cien novelas nuevas a las estanterías de los lectores americanos.

Cuando se inició este concurso, L. Ronald Hubbard escribió: "Se espera que el artista inicie cosas. El artista inyecta el espíritu de la vida en una cultura". Aunque hablaba de los autores que vendrían, sin duda estos mismos sentimientos se pueden aplicar a él mismo. Hoy en día hay más de cien millones de libros de L. Ronald Hubbard en circulación, y contando con un programa de veinte años para la publicación de sus primeros libros y sus obras aún no publicadas, esa cifra seguirá creciendo. Pero, en todo caso, la huella profunda de su éxito ya está impresa. Como el profesor de inglés y lenguas extranjeras, Stephen V. Whaley afirmó: "Sin duda L. Ronald Hubbard es uno de los escritores más prolíficos y de mayor influencia del siglo veinte".

Como evidencia de esto, la antología más grande de sus obras ha recibido premios de organizaciones literarias como la Federación Nacional Francesa para la Cultura, el Comité Europeo de Prestigio y la Academia Europea de las Artes. Otra evidencia es el enorme número y variedad del conjunto de sus lectores, y los miles de estudiantes que en unas veinte facultades y universidades estudian su obra y tratan, como él mismo una vez describió, "de escribir, escribir y luego escribir algo más, y nunca permitir que el cansancio, la falta de tiempo, el ruido o cualquier otra cosa me desvíe de mi camino".

Los ganadores del Concurso "Escritores del Futuro" (WRITERS OF THE FUTURE) en la décima ceremonia anual de los premios. Después de ganar el Concurso de L. Ronald Hubbard de los "Escritores del Futuro" los ganadores han llegado a vender cerca de 100 novelas y 1.000 relatos breves.

El "L. Ronald Hubbard Gold Award" (el Premio de Oro de L. Ronald Hubbard, arriba a la izquierda), que se entrega anualmente al ganador del Concurso de "Escritores del Futuro". Las obras de los finalistas y ganadores de este concurso se publican en antologías anualmente. Para muchos de los ganadores, proporciona el despegue en sus carreras profesionales como escritores.

A TRAVÉS DE SU ESFUERZO CREATIVO, EL ESCRITOR TRABAJA CONTINUAMENTE PARA DARLE UNA NUEVA FORMA AL MAÑANA...

CON ESTO EN MENTE INICIÉ UN MEDIO PARA QUE LOS ESCRITORES NUEVOS Y EN CIERNES TENGAN UNA OPORTUNIDAD DE QUE SE VEAN Y SE RECONOZCAN SUS ESFUERZOS CREATIVOS.

L. RONALD HUBBARD

MÚSICO

Aunque el Sr. Hubbard nunca se consideró un músico profesional en el sentido más estricto de la palabra, sus logros musicales de ninguna manera son insignificantes. Cantando baladas en la radio en la década de los 30, en algún momento ocupó el espacio que más tarde llenaría Arthur Godfrey –el famoso y simpático actor y locutor de radio y televisión americano– y siguió componiendo e interpretando durante el resto de su vida.

En la década de los 70, organizó, preparó y orquestó varios grupos musicales, y de este trabajo surgieron toda una serie de observaciones clave, lo que incluye su análisis de la música "country", del flamenco, de la música tradicional oriental y hasta de la música rock (de la que con toda razón observó que se estaba volviendo cada vez más primitiva). Entre sus composiciones de este período contamos con su mezcla innovadora de jazz moderno, reggae y calipso, así como su uso moderno de formas tradicionales españolas y orientales. La delineación de lo que llamó "Las leyes de sonido proporcionado" también fue algo muy innovativo, donde instrumentos similares con una leve diferencia de timbre se empleaban para superar el por largo tiempo fastidioso problema de la cancelación instrumental, en otras palabras, el que el sonido de un instrumento "borrara el de otro" sin importar el volumen. Aunque los profesionales de la música han diseñado varios remedios, el Sr. Hubbard fue el primero que en realidad analizó el problema minuciosamente y determinó su solución.

El efecto neto de sus sensacionales avances en la música fue en verdad impresionante. De hecho, un crítico de esa época escribió: "L. Ronald Hubbard resolvió un problema que músicos como Buddy Rich, (el popular líder de grupos y grandes bandas de jazz) e incluso Woody Herman, (el conocido saxofonista, clarinetista y director de bandas de jazz) no pudieron resolver: concentrar la energía de una pequeña orquesta de jazz en una 'big band' (banda grande), una hazaña que es comparable a la de ponerle arneses a un átomo".

Por otra parte, la siguiente aportación musical de L. Ronald Hubbard fue tanto imaginativa como original: la banda sonora para su éxito editorial *Campo de Batalla: la Tierra*. Este álbum, descrito atinadamente como jazz computadorizado, fue el primero en utilizar plenamente el potencial de los instrumentos musicales computadorizados. El álbum *Campo de Batalla: la Tierra*, presenta trece composiciones de L. Ronald Hubbard, inspiradas en los personajes y sucesos importantes de su novela. El álbum incluye además las actuaciones del gran músico de jazz, Chick Corea, y de quien fuera pianista de los Rolling Stones, Nicky Hopkins.

Dada la naturaleza altamente satírica de *Misión: la Tierra*, la siguiente obra del Sr. Hubbard, el álbum para esta novela, es con toda razón una banda sonora de rock duro. El artista principal fue nada menos que la leyenda del rock, Edgar Winter. Más tarde, los protectores del medio ambiente adoptaron la canción del disco sencillo, "Cry Out" (Clamor) como su himno de marcha para detener la contaminación sin control.

El último álbum de L. Ronald Hubbard, *El Camino hacia la Libertad*, refleja su creencia de que la música es un lenguaje universal maravilloso. En este caso, la usa para comunicar algunas de las verdades fundamentales de Cienciología, y por esa razón, esta obra puede considerarse como música religiosa al estilo de Cienciología. La letra, a su vez, se ha traducido a ocho idiomas y el álbum presenta la actuación de artistas Cienciólogos como Chick Corea, John Travolta y Julia Migenes. *El Camino hacia la Libertad* también presenta la actuación vocal del mismo Sr. Hubbard en la canción final que se titula con toda propiedad: "Gracias por escuchar".

El estudio de música de L. Ronald Hubbard.

Campo de Batalla: la Tierra *es la primera banda sonora para una novela.*

En la segunda banda sonora del Sr. Hubbard para un libro, se utiliza rock innovador para narrar la historia de su obra maestra en 10 volúmenes, Misión: la Tierra.

L. Ronald Hubbard escribió la música para el álbum de oro El Camino hacia la Libertad *interpretada por muchos de sus amigos, entre los que se cuentan John Travolta, Karen Black y Chick Corea. El álbum se ha traducido a cuatro idiomas y se ha publicado en países de todo el mundo.*

Una canción puede seguir sonando bulliciosamente a lo largo de los siglos. No se corroe. No necesita que la pulan, la mantengan en buen estado, la lubriquen, la coloquen en una estantería o la metan en una cámara de seguridad. Lo que sucede es que una canción es mucho más poderosa que cualquier pistola fulminadora que se haya inventado jamás.

L. Ronald Hubbard

A principios de 1929, a la edad de 17 años, L. Ronald Hubbard consiguió captar 7 de las curvas de la Gran Muralla China, en esta peculiar fotografía tomada cerca de Nankow Pass, al oeste de Pekín. Sus fotografías de Asia fueron adquiridas por los archivos gráficos de Underwood & Underwood *y del* National Geographic.

La vida es luz. Puedes lograr que la luz haga cualquier cosa que desees. Fotografía significa "escribir con luz".

L. Ronald Hubbard

Puerto de Agana en Guam, en 1929.

FOTÓGRAFO

otografía quiere decir, como a L. Ronald Hubbard le gustaba señalar, "escribir con luz", y por la forma en que sus fotografías comunican, la frase es una acertada descripción de su trabajo.

Entusiasta estudioso de la cámara durante su juventud, su carrera en realidad empezó a fines de la década de 1920 con una serie de célebres estudios que tomó en el curso de sus viajes por China. El trabajo fue rotundamente profesional y tuvo gran circulación cuando se publicó en la revista *National Geographic*. A su regreso a los Estados Unidos, continuó su carrera de fotógrafo tanto como periodista fotográfico para los diarios locales así como fotógrafo independiente, para varias publicaciones nacionales. Lo más notable en este último campo fue su trabajo para la publicación de los entusiastas del aire, *Sportsman Pilot (El piloto deportista)*.

Con el inicio de su carrera formal como escritor en 1933, el trabajo fotográfico del Sr. Hubbard estuvo propenso a pasar a un segundo plano. Sin embargo, en sus años posteriores todavía trabajó tras la cámara con regularidad con fotografías promocionales para varias organizaciones europeas y sus famosos paisajes del sur de Inglaterra, que con el tiempo fueron seleccionados entre tres mil participantes para la Exposición Internacional de Fotografía en Nantes. Las fotografías que el Sr. Hubbard tomó en esta época también se seleccionaron para exhibirse en el *Salon International d'Art Photographique de Versailles* y en fechas posteriores se han visto publicadas en los calendarios fotográficos de L. Ronald Hubbard.

En 1974, continuó con este tipo de trabajo en la isla de Curaçao, en las Antillas Holandesas, donde sólo unos cuantos días después de su llegada se publicó: "El Sr. Hubbard, con su agudeza profesional, consigue las tomas que quiere, una tras otra: un ritmo de producción de más de 7.000 fotografías desde que empezó a fotografiar aquí en Curaçao".

Al regresar a Estados Unidos en 1976 para establecer su hogar en el sur de California, la carrera fotográfica de L. Ronald Hubbard tomó otra dimensión: la preparación de los fotógrafos. A partir de este trabajo de instrucción, surgió el recuento detallado de todos los pasos vitales que el fotógrafo debe llevar a cabo para asegurar una toma con éxito, lo que incluye el paso

Guam, 1929.

preliminar, que se descuida tan a menudo, de formarse una idea de la fotografía o preconcebirla. O como alternativa, aconsejaba a los fotógrafos que aprendieran a reconocer de inmediato cuándo tenían una fotografía. En todo caso (y aquí se encuentra el común denominador de todo el trabajo artístico de L. Ronald Hubbard) los fotógrafos deben aprender a "hacer que la fotografía hable". Como parte del proceso de instrucción, todos los estudiantes tuvieron el privilegio de que el Sr. Hubbard revisara sus fotografías personalmente. Además de los puntos más convencionales de composición e iluminación, dio énfasis de forma característica a ese mismo tema clave de la comunicación: ¿Qué dice la fotografía si acaso dice algo? En este período de instrucción también creó sus importantísimos procedimientos para probar tanto el equipo como la película, y su clarificación de un tema que se había entendido mal durante mucho tiempo: la composición.

Hoy en día, el acervo definitivo de su trabajo fotográfico se ha recopilado cuidadosamente en una exhibición itinerante, titulada: "L. Ronald Hubbard: imágenes de una vida". En total, se exhiben más de seiscientas fotografías, desde sus primeras tomas con una sencilla cámara Kodak *Brownie*, hasta sus últimas obras en el sur de California. Por supuesto se incluyen varias selecciones de su famosa serie china, sus fotografías premiadas de la campiña inglesa y todo lo que define la obra de este hombre, en lo que él llamó "escribir con luz".

Oporto, Portugal, 1972, fotografía de L. Ronald Hubbard.

Exposición múltiple, 1965, fotografía de L. Ronald Hubbard.

L. Ronald Hubbard utilizó una réplica a escala reducida del Buque Insignia de Vasco de Gama para realizar esta fotografía cerca de Lisboa.

Costa inglesa, 1965, fotografía de L. Ronald Hubbard.

Fotografía premiada tomada por L. Ronald Hubbard en 1965.

Saint Hill Manor, 1965, fotografía de L. Ronald Hubbard.

"ada sector individual de las creaciones artísticas", escribió el Sr. Hubbard, "tiene sus propias reglas básicas". Por medio del ejemplo, citó la literatura y la pintura, pero en particular se dirigía a los miembros de la unidad cinematográfica que había establecido para la producción de películas de entrenamiento. Su trabajo en este campo dice mucho de la clase de hombre que era. Aunque sólo había estado tras las cámaras de manera informal en sus días de Hollywood en los años 30, en la primavera de 1979 ya no había literalmente un aspecto del tema de la cinematografía que no hubiera estudiado. Como evidencia están los veinticuatro textos básicos sobre el tema que escribió al entrenar a los equipos de cineastas en el sur de California.

Estos textos representan una destilación limpia del proceso de hacer películas, y los fundamentos de la iluminación, el diseño de escenarios, el montaje, el vestuario y mucho más. Los escritos del Sr. Hubbard sobre la actuación son dignos de especial mención, dado que este es un campo que, como refleja la vida misma como un espejo, era obvio que le interesara. En particular, se opuso a la intrusión de la psicología en el arte, como abogaba el método Stanislavsky, y a la idea extendida de que el actor debe "injertar" su propio sufrimiento psicológico en su papel, con lo que se ha descrito de forma desconcertante como "un flujo libre de energía psíquica que brota del inconsciente". Sin importar lo que esto signifique, es un proceso largo y doloroso desde el punto de vista emocional. El Sr. Hubbard afirmó que estos métodos eran desastrosos para el escritor y para el actor auténtico y de hecho, "directamente opuestos al papel del artista".

Su solución fue una serie de dieciocho ensayos de instrucción sobre el arte de actuar. En resumen, comprenden una exposición completamente nueva de este arte, y giran alrededor de la idea de que un actor es alguien que simplemente concibe cómo sería su personaje, cómo caminaría, cómo hablaría, cómo serían sus ademanes, y amolda su papel de acuerdo a esto. Las notas adicionales sobre el tema definieron aún más el uso de la expresión, la dicción, los ademanes y de forma muy importante, el uso del descubrimiento del Sr. Hubbard de la Escala Tonal Emocional, que delineaba la gama completa de las cincuenta y nueve emociones que un ser puede adoptar.

Basándose en sus muchos años de experiencia en la radio y en grabaciones, por su trabajo como intérprete radiofónico en la década de 1930, pasando por su participación activa en la grabación en el campo del cine hasta sus mezclas de sonido en vivo para grupos musicales, las recomendaciones del Sr. Hubbard sobre el campo de la grabación de sonido son igualmente significativas. Lo más importante, afirmó, es que este campo está repleto de opiniones en conflicto e información sin codificar. De hecho, escribió: "no existen libros de texto sobre el trabajo del operador en el campo de la grabación, mezcla de sonido y de cómo transferirlo".

En consecuencia, "He acometido la tarea de poner a la disposición, en la medida de lo necesario, información precisa y útil sobre el tema del funcionamiento de equipos de sonido".

Hoy en día, no es una exageración describir la ejecución final de los descubrimientos y la tecnología de L. Ronald Hubbard en lo que se refiere a la grabación, la mezcla, la copia y el replicado de sonido, como algo que no tiene parangón en términos de esmero y

> No es suficiente el que el director, el productor y otros ejecutivos implicados en la producción de una película sepan lo que se supone que está sucediendo en ésta. Lo más importante es que comunique y que la audiencia sepa lo que está ocurriendo.
>
> L. Ronald Hubbard

Golden Era Productions utiliza exclusivamente los avances cinematográficos y artísticos del Sr. Hubbard en la producción de películas de entrenamiento y diseminación de Cienciología.

calidad. Esta tecnología de sonido, llamada *Clearsound*, y utilizada exclusivamente por la productora de la Iglesia de Cienciología, Golden Era Productions, ha logrado tal excelencia en la grabación y reproducción de sonido que sobrepasa prácticamente todos los estándares de la industria.

El trabajo del Sr. Hubbard en la silla de director fue igual de intransigente e instructivo. Posteriormente dirigió siete películas de entrenamiento al mismo tiempo que no sólo escribía guiones y música para muchísimas más, sino que también dejaba la tecnología y los materiales de entrenamiento para que los demás pudieran continuar con su trabajo; mil páginas de texto para codificar todo lo relativo al arte de la cinematografía. Considerándolo todo, este trabajo refleja un profundo amor y una comprensión del proceso cinematográfico, y puede describirse como la única expresión más definitiva sobre la manera de hacer películas memorables.

La aclamación internacional por las obras y las contribuciones artísticas de L. Ronald Hubbard se refleja en las numerosas proclamaciones, reconocimientos y premios que se le han concedido.

La mayor herencia

Así como es imposible considerar a L. Ronald Hubbard como hombre sin considerarlo como artista, tampoco podemos llegar a apreciar su contribución artística sin conocer de alguna manera sus escritos filosóficos sobre el tema.

Aunque sus primeras notas sobre el tema datan de 1943, sus primeros escritos sobre las artes en un sentido filosófico pueden encontrarse en sus escritos a partir de 1951. En resumen, presentó la teoría de que en algún lugar, por encima del pensamiento cotidiano, existía lo que llamó una mente estética, y era ese nivel de actividad mental "el que trata el campo nebuloso del arte y la creación". De cualquier manera, afirmó: "Hasta que alguien pueda definir lo que es el arte, no es probable que el mundo llegue a tener una mayor consciencia de él". Como precedente, citó entonces la obra de Francis Bacon, que por lo general se considera como el primero en desarrollar el concepto de codificación, o sea que cualquier tema puede organizarse de manera sistemática de acuerdo a sus reglas. Siguiendo *esa* tradición, el Sr. Hubbard procedió a abordar el arte como un todo.

El primer registro publicado de sus descubrimientos salió a la luz el 30 de agosto de 1965. En una nota de introducción, reiteró que el arte contiene "el conocimiento menos codificado", mientras que la pregunta tan antigua: "¿Qué es el arte?" nunca se había

> DE MANERA INSTINTIVA VENERAMOS AL GRAN ARTISTA, PINTOR O MÚSICO Y LA SOCIEDAD EN GENERAL NO LOS CONSIDERA REALMENTE SERES COMUNES.
>
> NI LO SON. SON SERES SUPERIORES... QUIEN PUEDE COMUNICARSE VERDADERAMENTE CON LOS DEMÁS ES UN SER SUPERIOR QUE CONSTRUYE MUNDOS NUEVOS.
>
> L. RONALD HUBBARD

contestado de manera adecuada. Entonces, aunque dijo que sus apuntes tenían una forma preliminar, a grandes rasgos, no obstante procedió con los fundamentos de esa rama de actividad que llamamos Arte, y la definió así: "ARTE es una palabra que resume LA CALIDAD DE LA COMUNICACIÓN".

Y con eso como base definitiva, procedió entonces, a lo largo de los meses y años sucesivos, a codificar todo el tema, lo que incluye: detallar la gama completa de la presentación artística, la integración artística, el mensaje, el ritmo, el color, el equipo y todo lo demás que se encuentra en el libro de L. Ronald Hubbard, *ARTE*.

En la actualidad, esta obra se ha convertido en el único texto que mayor influencia tiene en su género; miles de profesionales veteranos se apoyan en él continuamente, y miles de personas más utilizan la información que presenta para iniciar sus carreras. El texto se ha convertido también en la base del *Curso de Arte Hubbard*, ideado para ayudar a los estudiantes a *poner en práctica* sus principios fundamentales, y se usa de igual forma en los Talleres para escritores de L. Ronald Hubbard, donde produce una mayor inspiración a los Escritores del Futuro.

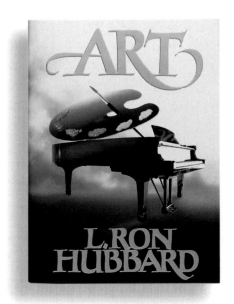

LA REVITALIZACIÓN DE LOS SUEÑOS ARTÍSTICOS

A pesar del gran impacto de las afirmaciones filosóficas del Sr. Hubbard sobre el arte, la medida de su mayor legado artístico no estaría completa, si no se mencionara el mayor trabajo de su vida, Dianética y Cienciología.

"Una cultura es sólo tan grande como sus sueños", había afirmado, "y son los artistas quienes sueñan esos sueños". A ese respecto, afirmó también, la rehabilitación del artista se convierte en una tarea tremendamente válida que pagaría a la cultura mil veces. Que Cienciología se prestara de manera natural a esta tarea, es axiomático; dado que si se toma en cuenta lo que el Sr. Hubbard había determinado previamente sobre la naturaleza intrínseca del hombre, Dianética y Cienciología se dirigen directamente al artista en *el* nivel más funda-mental: su identidad espiritual. Además, cuando el Sr. Hubbard habla de rehabilitar la creatividad artística, habla de rehabilitar la fuente de toda creatividad, el espíritu humano.

Específicamente, para favorecer a las personas creativas, el Sr. Hubbard se encargó de fundar el Centro de Celebridades. Estas iglesias de Cienciología especiales ofrecen los mismos servicios que todas las demás iglesias de Cienciología, pero en un entorno que está particularmente adaptado a las necesidades del artista. Así pues, sin importar lo famoso que sea un artista, podrá proseguir su estudio de Dianética y Cienciología en el marco seguro y sin distracciones del Centro de Celebridades. Estos centros también proporcinan servicios especiales para ayudar a los artistas (tanto consumados como principiantes) a aplicar los principios de Cienciología a sus campos de actividad, y de esa manera ayudarles a mejorar su habilidad para ejercer una influencia positiva en la sociedad. Además proporcionan a las celebridades prometadoras, foros para la producción de interpretaciones teatrales, lecturas literarias, conciertos y todo lo que el Sr. Hubbard describió como la gloriosa actividad que llamamos arte.

"La elevación de una cultura", declaró con firmeza, "puede medirse directamente por el número de personas que trabajan en el campo de la estética". A través de sus diversos materiales de instrucción (para fotógrafos, cineastas, escritores y músicos) ha inspirado hasta ahora a miles de personas. Mientras, con su programa "Escritores del Futuro", ha iniciado directamente las carreras de cientos de personas más. Pero al considerar el mayor legado de L. Ronald Hubbard, lo que incluye todo lo que se puede lograr con Dianética y Cienciología, entonces su contribución tiene que medirse en cifras de millones. Ya que él también declaró con mucha firmeza que las obras de arte no son sólo sobre los artistas, en vez de eso, "la gente las escucha. Las siente. No son sólo el forraje de un grupo cerrado de iniciados. Son el alimento del alma para todos".

E l principio inicial de mi propia filosofía", escribió L. Ronald Hubbard, "es que la sabiduría es para cualquiera que desee alcanzarla. Está al servicio del plebeyo y del rey, por igual, y nunca debe mirarse con temor reverente". Agregó que la filosofía debe poder aplicarse, ya que "el saber encerrado en libros enmohecidos es de muy poca utilidad para cualquiera y, por lo tanto, de ningún valor, a menos que pueda usarse". Finalmente declaró que el conocimiento filosófico es de valor únicamente si es verdadero y puede llevarse a la práctica, y por lo tanto estableció los parámetros para Dianética y Cienciología.

De qué manera llegó a establecer L. Ronald Hubbard estos temas es una historia inmensa que comenzó realmente en las primeras décadas de este siglo, con su amistad con los Indios Pies Negros, en los alrededores de su hogar en la ciudad de Helena, en el estado de Montana. Distinguido entre los indios había un auténtico hechicero tribal, conocido en las inmediaciones como "el Viejo Tom". En lo que a la larga constituyó un vínculo poco común, Ronald, a la edad de seis años, fue tanto honrado con la categoría de hermano de sangre, como infundido con una apreciación de profundidad sublime de la herencia espiritual.

Lo que se puede considerar como el siguiente hito, fue en 1923 cuando L. Ronald Hubbard, con doce años de edad, comenzó a estudiar las teorías de Freud con el comandante Joseph C. Thompson. El comandante Thompson, de hecho, fue el primer oficial naval de los Estados Unidos que trabajó con Freud en Viena. A pesar de que el Sr. Hubbard nunca aceptaría el psicoanálisis *per se*, el contacto con éste, fue de fundamental importancia en su día. Porque aunque no hubiera hecho nada más

Universidad de George Washington, alrededor de 1929, donde
L. Ronald Hubbard estudió ingeniería, matemáticas y física nuclear.

–escribió con posteridad– Freud, al menos propuso la idea de que "se podía hacer algo en lo que respecta a la mente".

El tercer paso crucial de este viaje se encuentra en Asia, en donde, por último, el joven Hubbard pasó la mayor parte de aquellos dos años viajando y estudiando. Allí, llegó a ser uno de los pocos americanos admitidos en los legendarios monasterios lama tibetanos, en las colinas del oeste de China, y de hecho, estudió con el último de la línea de magos reales de la corte de Kublai Khan. Sin embargo, a pesar de que tales aventuras pudieran parecer encantadoras, finalmente admitiría que no encontró nada que se pudiera poner en práctica o que fuera predecible en relación a la mente humana y al espíritu.

Cuando regresó a los Estados Unidos en 1929, el Sr. Hubbard se inscribió en la Universidad George Washington donde estudió ingeniería, matemáticas y física nuclear (todas estas disciplinas le servirían de mucha ayuda a lo largo de sus investigaciones filosóficas posteriores). De hecho, L. Ronald Hubbard fue el primero en usar de forma rigurosa métodos científicos occidentales en el estudio de las cuestiones espirituales. Sin embargo, más allá de una metodología básica, la universidad no le ofrecía nada. En realidad, como él mismo admitiría más tarde: "Era muy obvio que estaba relacionándome y viviendo en una cultura cuyos miembros sabían menos acerca de la mente que la tribu más primitiva de todas las que había conocido" y "sabiendo también que la gente en Oriente no era capaz de profundizar de forma tan honda y predecible en los enigmas de la mente, como se me había conducido a creer, sabía que tenía que llevar a cabo mucha investigación".

Esa investigación consumió los veinte años siguientes de su vida y lo llevó a conocer no menos de 21 razas y culturas incluyendo las tribus indias del noroeste de la costa del Pacífico de Estados Unidos, los tagalos de Filipinas, y –como solía bromear– la gente del barrio neoyorkino del Bronx. Para ponerlo en los términos más simples, su trabajo durante este período se concentró en dos cuestiones fundamentales. La primera, desarrollándose a partir de la experimentación que se llevó a cabo en la universidad, buscaba la fuerza de la vida, sobre la que durante tanto tiempo se había especulado, es decir, la fuente de la conciencia humana. La siguiente, que estaba íntimamente relacionada con la primera, era que deseaba determinar el común denominador de la vida, pues sólo al establecerlo –reflexionaba– se podría determinar lo que es verdadero y funcional en relación a la condición humana.

Alcanzó la primera etapa de esa búsqueda en 1938 con un manuscrito sin publicar titulado *Excalibur*. En esencia, esa obra proponía que la vida era mucho más que una serie fortuita de reacciones químicas, y que un impulso, que podía precisarse, subyacía a todo comportamiento humano. Afirmaba que ese impulso era *sobrevivir* y constituía la única fuerza omnipresente en todas las personas. Que el hombre sobrevivía no era una idea nueva, pero que ése fuera el único denominador común fundamental de la existencia, sí era algo nuevo y sobre él se colocó el poste de dirección de toda la investigación que siguió.

La Segunda Guerra Mundial resultó tanto una interrupción de la investigación, como un mayor incentivo. Lo primero se debió a que el Sr. Hubbard tuvo que prestar servicio en el Atlántico y en el Pacífico como comandante de patrullas anti-submarinos; lo segundo, a que si algo acentuaba la necesidad de una filosofía funcional para el

El manuscrito Excalibur, *en el que L. Ronald Hubbard expuso por primera vez la idea de que la* supervivencia *era el único denominador común básico de la existencia.*

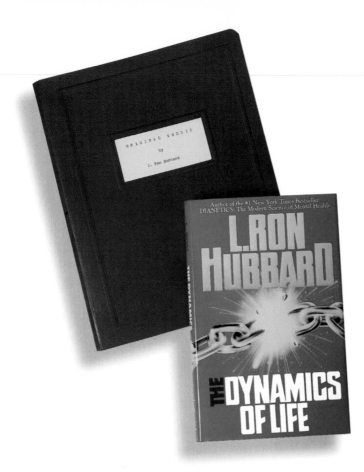

La tesis original, *escrita por el Sr. Hubbard en 1948, resumía la investigación que hizo durante dieciséis años en la mente humana. Publicada hoy como* Las dinámicas de la vida, *se ofreció originalmente a varios amigos para que la examinaran y, por medio de copias realizadas por el procedimiento de la hectografía (duplicación gráfica rudimentaria), circularon de mano en mano alrededor del mundo.*

Para conocer realmente la vida, tienes que ser parte de ella. Debes descender y MIRAR, debes llegar hasta el último resquicio, hasta el último rincón de la existencia, tienes que convivir con toda clase de hombres antes de que puedas finalmente determinar lo que es el hombre.

L. Ronald Hubbard

mejoramiento humano, era el absoluto horror de ese conflicto. O, como él, de manera tan sucinta, lo expresó: "El hombre padece una locura y esa locura se llama guerra". El Sr. Hubbard se contó también entre los primeros que expresaron sus preocupaciones sobre lo que significaba el advenimiento de las armas atómicas, si no iban acompañadas de una comprensión equiparable del comportamiento humano.

La culminación de su obra hasta este punto, llegó en 1945, en el Hospital Naval de Oak Knoll, en Oakland, California. Parcialmente ciego con los nervios ópticos dañados, lisiado en la cadera y con lesiones en la espina dorsal, el Sr. Hubbard se convirtió en uno de los cinco mil pacientes navales y de Infantería de Marina que recibieron tratamiento en Oak Knoll. También bajo tratamiento en esas instalaciones se encontraban algunos cientos de antiguos prisioneros de campos de concentración japoneses. Intrigado por el inexplicable fracaso de los pacientes para recuperarse, a pesar de los intensivos cuidados médicos, el Sr. Hubbard se hizo cargo personalmente de administrar una forma temprana de Dianética. En total, unos quince pacientes recibieron la atención del Sr. Hubbard que utilizó sus técnicas para eliminar lo que él daba por sentado que era la inhibición mental para la recuperación. Lo que al final descubrió y lo que de hecho salvó las vidas de los pacientes, se basaba en un punto filosófico clave: a pesar de la teoría científica que se sustentaba por lo general en esa época, el estado de la propia mente en realidad tenía primacía sobre nuestra condición física. Es decir, nuestros puntos de vista, actitudes y condición emocional determinaban, en el fondo, nuestro bienestar físico y no al revés. O, como el mismo Sr. Hubbard indicó de manera sucinta: "La función controlaba a la estructura".

Con la resolución de este asunto y al restaurarse la paz, el Sr. Hubbard se puso a realizar pruebas adicionales de la funcionalidad de sus descubrimientos mediante intensas investigaciones con personas de todos los niveles sociales. Esto incluía a actores de un taller de teatro de Hollywood, ejecutivos de industrias vecinas a los estudios, víctimas de accidentes de un hospital de Pasadena y dementes criminales de una institución para enfermos mentales de Georgia. Considerándolo todo, el Sr. Hubbard trabajó personalmente con unos cuatrocientos hombres, mujeres y niños antes de compilar sus dieciséis años de investigación en un manuscrito. Con el título de *Dianética, la tesis original*, (publicada en la actualidad como *Las dinámicas de la vida)*, en realidad la obra no se ofreció para publicación, sino que más bien se pasó a amigos para que la revisaran. Mediante el proceso de hectografiado, con el tiempo cientos de copias se pusieron en circulación y la respuesta fue tan entusiasta que animó al Sr. Hubbard a presentarla en forma más amplia. Esa tesis, titulada "Terra Incógnita: La Mente" apareció en el ejemplar de invierno/primavera de 1949-1950 del *Diario del Club de Exploradores (Explorers' Club Journal)*. Inmediatamente después, el Sr. Hubbard se encontró literalmente inundado de solicitudes para mayor información, lo que inspiró su manual formal *Dianética: La ciencia moderna de la salud mental*.

Sin lugar a dudas, Dianética fue un hito histórico. En lo que se convertiría en una auténtica predicción, Walter Winchell, que en esa época era columnista nacional, proclamó: "Va a aparecer algo nuevo en el mes de abril que se llama Dianética. Es una nueva ciencia que funciona con la invariabilidad de una ciencia física en el campo de la mente humana. Todo indica que demostrará ser tan revolucionaria para la humanidad, como el descubrimiento y utilización del fuego, por parte del primer hombre de las cavernas".

Aunque la afirmación de Winchel era atrevida, fue sin embargo exacta, ya que con Dianética apareció la primera explicación definitiva del pensamiento y el comportamiento humanos. También con Dianética apareció el primer medio de resolver los problemas de la mente humana, lo que incluía sensaciones y emociones no deseadas, irracionalidades y enfermedades psicosomáticas.

En el núcleo de esos problemas se encontraba lo que el Sr. Hubbard llamó mente reactiva y que

El impacto de *Dianética* significa que el mundo nunca volverá a ser el mismo. La historia se ha convertido en una carrera entre *Dianética* y la catástrofe. *Dianética* triunfará si se desafía a suficiente número de personas, a tiempo, a comprenderla.

Frederic L. Schuman
Profesor, Williams College

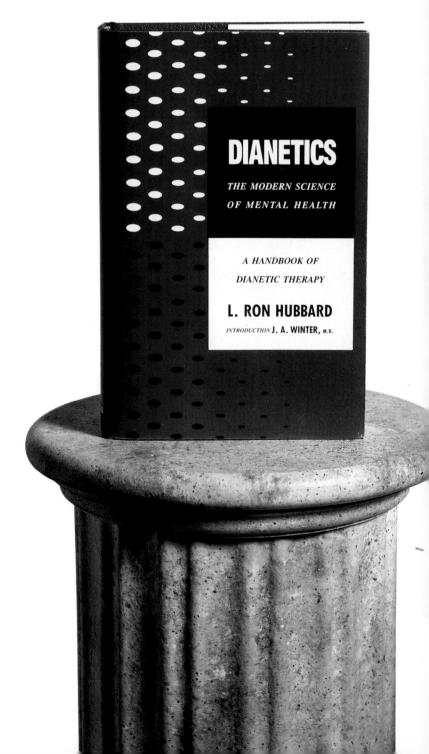

La primera edición de Dianética: La ciencia moderna de la salud mental, *publicada el 9 de mayo de 1950, permaneció ese año en la lista de best-sellers del* New York Times *durante 26 semanas consecutivas. El libro condujo a la formación de más de 750 grupos de Dianética por todo el país.*

definió como esa "parte de la mente de la persona que funciona totalmente sobre una base de estímulo-respuesta, que no está bajo su control volitivo y que ejerce fuerza y poder de mando sobre su conciencia, propósitos, pensamientos, cuerpo y acciones". Almacenados en la mente reactiva hay engramas que él definió como grabaciones mentales de momentos de dolor físico e inconsciencia. Con anterioridad se había vislumbrado que la mente registraba percepciones durante momentos de inconsciencia parcial o total, pero la forma en que el engrama actuaba sobre el cuerpo, afectando al comportamiento y al pensamiento, todo eso era nuevo por completo. Tampoco nadie había imaginado siquiera lo que, la totalidad de los engramas, tal como están contenidos en la mente reactiva, significaba en términos de desdicha humana. Ya que es esta parte de la mente, como expresó el Sr. Hubbard, "la que hace que un hombre suprima sus esperanzas, lo que mantiene sus apatías, lo que lo hace irresoluto cuando debe actuar y lo mata antes de que haya empezado a vivir". En pocas palabras: era el origen de todos los fracasos humanos.

Si uno quisiera probar alguna vez lo que Dianética decía sobre el engrama y la mente reactiva, sólo tendría que mirar lo que se podía lograr con las técnicas de Dianética. Los casos se cuentan por legiones, están documentados y son asombrosos: un maníaco homicida regresó a la normalidad en cuestión de unas cuantas docenas de horas; un soldador con parálisis por artritis recuperó la movilidad total casi en el mismo número de horas; un profesor con una grave miopía reconocida, recobró la vista en menos de una semana; una ama de casa que padecía una lesión paralizante debida a la histeria recuperó una salud perfecta en una única sesión de tres horas. También, existía la meta máxima de Dianética: el estado de Clear, en el cual se borraba la totalidad de la mente reactiva dejando a la persona con atributos y capacidades mucho más avanzados que nada de lo que se hubiera podido predecir con anterioridad.

Está de más decir que, cuando se empezó a correr la voz de los descubrimientos del Sr. Hubbard, la respuesta fue considerable: más de treinta mil ejemplares vendidos de

París

Palacio del Kremlin en Rusia

EL PRINCIPIO INICIAL DE MI PROPIA FILOSOFÍA, ES QUE LA SABIDURÍA ES PARA CUALQUIERA QUE DESEE ALCANZARLA. ESTÁ AL SERVICIO DEL PLEBEYO Y DEL REY, POR IGUAL, Y NUNCA DEBE MIRARSE CON TEMOR REVERENTE.

L. RON HUBBARD

Tokio

Zaire, África

Moscú

Estados Unidos

Con su publicación en 1950, Dianética: La ciencia moderna de la salud mental *conquistó los Estados Unidos. Hoy en día, su popularidad se extiende por todo el mundo. Y* Dianética *está ahora en uso en más de 100 países.*

Dianética, recién salidos de la imprenta, mientras que las librerías pasaban apuros para mantener el texto en las estanterías.

Al aumentar la evidencia de su funcionalidad –el hecho de que Dianética realmente ofrecía técnicas que cualquiera podía aplicar– la respuesta fue incluso más espectacular. "Dianética conquista los EE.UU.", decían los titulares de un periódico en el verano de 1950, "El movimiento de crecimiento más rápido en América". Para finales de año, se habían formado espontáneamente 750 grupos de Dianética de costa a costa, y seis ciudades ostentaban fundaciones de Dianética para ayudar a facilitar los avances del Sr. Hubbard sobre esta materia.

Ese avance fue continuo, metódico, y como mínimo, tan revelador como lo que le había precedido. En el núcleo de aquello en lo que el Sr. Hubbard comenzó a luchar durante finales de 1950 y principios de 1951, se encontraba sin embargo otro punto filosófico clave. Es decir, si Dianética constituía la explicación definitiva de la mente humana, entonces, ¿qué era lo que utilizaba la mente? O de manera más precisa, ¿qué era lo que constituía la vida en sí misma? En una declaración decisiva sobre este tema, explicó: "Cuanto más investigaba uno, más se daba cuenta de que aquí, en esta criatura llamada *Homo sapiens*, había demasiadas incógnitas".

La línea de investigación subsiguiente, en la que se había embarcado unos veinte años antes, demostró ser nada menos que trascendental. En otra declaración crítica sobre el tema, el Sr. Hubbard escribió: "Me he ocupado de la investigación de los fundamentos de la vida, del universo material y del comportamiento humano". Y aunque muchos antes que él habían "vagado por este sendero sin señalizar", añadió, "no habían dejado ninguna señal indicadora". Sin embargo, a principios de la primavera de 1952, durante el curso de una conferencia trascendental en Phoenix, Arizona, se anunció el resultado de esta investigación: Cienciología.

Cienciología, una filosofía religiosa aplicada, está contenida en más de cuarenta libros y más de 2.500 conferencias grabadas. En total, estas obras representan una afirmación de la naturaleza y potencial del hombre y, aunque se hizo eco de varias

Cuando alguien piensa en algo, aparece un cuadro de imagen mental en la mente. Piensa en un gato: obtendrás el cuadro de un gato. Los cuadros de imagen mental que contienen dolor físico, trauma y emociones dolorosas se registran en la mente reactiva.

Aunque la mente reactiva existe bajo el nivel de consciencia de un individuo, el dolor físico, el trauma y las emociones dolorosas pueden ser activadas por el entorno y ejercer control sobre el bienestar mental y físico de un individuo.

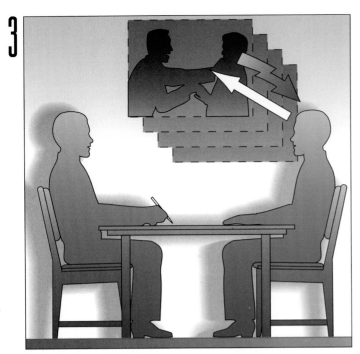

En una sesión de auditación, el auditor ayuda a la otra persona a localizar y examinar fuentes ocultas de dificultades, incluyendo cuadros de imagen mental que contienen dolor físico, trauma y emociones dolorosas. La auditación, entonces, es el medio por el que alguien puede llegar a estar más consciente de quien es él, lo que le ha ocurrido y la extensión de su verdadero potencial.

El ser espiritual, que el Sr. Hubbard denominó thetán, *es quien eres tú.*

escrituras antiguas, esa afirmación es absolutamente única. Entre los principios esenciales de Cienciología se encuentra: el hombre es un ser espiritual inmortal; su experiencia se extiende mucho más allá de una sola vida; y sus capacidades son ilimitadas, aunque no lleguen a hacerse realidad en la actualidad. En ese sentido, Cienciología representa lo que puede ser la definición fundamental de una religión; no un sistema de creencias, sino un medio de transformación espiritual.

Cienciología logra su propósito mediante el estudio de las escrituras del Sr. Hubbard y la aplicación de los principios descritos en estas. La auditación es la práctica central, y la entrega un auditor, del latín *audire*, "escuchar". La auditación no es una forma imprecisa de exploración mental y, de hecho, no tiene nada que ver ni con psicología ni con psicoterapia. El auditor no evalúa de ninguna manera ni le dice a uno qué debe pensar; porque la auditación no se le *hace a* una persona, y sus beneficios sólo se pueden lograr mediante la participación activa y la buena comunicación. Sin duda, la auditación descansa sobre la máxima de que sólo al permitirle a una persona encontrar sus propias respuestas a los problemas de la vida, se puede llegar a eliminar estos problemas.

Precisamente con ese fin, el auditor emplea *procesos*, series exactas de preguntas para ayudarle a uno a examinar lo que de otro modo son fuentes de dificultad desconocidas e indeseadas. El procedimiento se basa en el hecho de que si se observara y se comprendiera plenamente la verdadera fuente de lo que nos preocupa, entonces el problema dejaría de existir. Así, por ejemplo, si uno estuviera sufriendo los efectos dañinos de algún trauma engrámico enterrado hace tiempo, la auditación es el medio por el que ese trauma se puede inspeccionar, comprender y anular. A ese respecto, la auditación se puede ver como un procedimiento por el que podemos recuperar esas cosas de las que no somos conscientes, no hemos examinado, pero nos afectan de manera adversa. Cuando se recupera de la mente reactiva más y más información hasta entonces desconocida, uno llega a estar de manera conmesurable más y más consciente

Los materiales de Dianética y Cienciología. Disponibles en más de 30 idiomas incluyendo tres series enciclopédicas, 18 volúmenes de escritos técnicos y más de 3.000 conferencias grabadas, la contribución filosófica de L. Ronald Hubbard representa unos 40 millones de palabras escritas y grabadas. Cada texto que se muestra aquí es un título separado y en conjunto estos materiales constituyen probablemente el cuerpo de trabajo individual más voluminoso que existe sobre la mente humana y el espíritu.

de quién es, lo que le ha sucedido y la extensión de sus verdaderos potenciales.

Lo que todo esto significa subjetivamente es, por supuesto, de alguna manera inefable, porque por su misma definición, la auditación conlleva un ascenso a estados hasta ahora desconocidos. Pero en términos muy básicos se puede decir que Cienciología no pide que uno se *afane* por alcanzar una conducta ética superior, una mayor consciencia, felicidad y cordura. Más bien, proporciona una ruta hacia estados en los que todo esto simplemente *ocurre*, en los que uno es más ético, capaz, autodeterminado y más feliz, porque se ha eliminado eso que nos hace ser de otra manera. O en otras palabras, como el Sr. Hubbard mismo explicó una vez a aquellos recién llegados a Cienciología: "Estamos ofreciéndote el preciado regalo de la libertad y la inmortalidad: de manera objetiva, honestamente".

La ruta completa del progreso espiritual en Cienciología está delineada en El Puente de Cienciología. Este presenta los pasos precisos de auditación y entrenamiento por los que uno debe caminar para hacer realidad sus potenciales innatos propios. Debido a que El Puente está dispuesto de una manera gradual, el avance se hace de manera ordenada y predecible. Aunque el concepto básico es antiguo –una ruta a través de un abismo de ignorancia hasta una altiplanicie más elevada lo que presenta El Puente es completamente nuevo: no una secuencia arbitraria de pasos, sino el medio más funcional para la recuperación de lo que el Sr. Hubbard

ESTAMOS OFRECIÉNDOTE EL PRECIADO REGALO DE LA LIBERTAD Y LA INMORTALIDAD: DE MANERA OBJETIVA, HONESTAMENTE.

L. RONALD HUBBARD

La ruta completa del progreso espiritual en Cienciología se describe en la Tabla de Clasificación, Gradación y Consciencia de Niveles y Certificados (página opuesta). Está dividida en dos partes: el lado de la izquierda muestra los pasos de entrenamiento que uno toma en Cienciología, y el lado de la derecha muestra los pasos de auditación.

La "Clasificación" se refiere al entrenamiento de Cienciología y el hecho de que se requieran ciertas acciones, o se obtengan ciertas destrezas, antes de que se clasifique a un individuo como un auditor de algún nivel en particular y se le permita progresar hacia la siguiente clase. En total, existen clases de entrenamiento de auditor desde 0 hasta XII.

La "Gradación" se refiere al mejoramiento gradual que ocurre en la auditación de Cienciología según un individuo progresa hasta el estado de Clear y después al de Thetán Operante (OT), ese estado de libertad espiritual plena.

Los diferentes niveles de consciencia se enumeran en el centro de la tabla y corresponden precisamente al progreso de un individuo en el entrenamiento y en la auditación.

El hombre, por su herencia religiosa, ha soñado desde hace mucho en un puente que se extienda sobre el abismo desde la posición actual de uno hasta un plano más elevado de existencia, y esta tabla es la encarnación de ese sueño.

THE BRIDGE
TO TOTAL FREEDOM

SCIENTOLOGY® CLASSIFICATION GRADATION AND AWARENESS CHART OF LEVELS AND CERTIFICATES

TRAINING — Awareness Characteristics — PROCESSING

Training (Auditor's Class):

- Class XII
- Class XII Auditor
- Class XI
- Class XI Auditor
- Class X
- Class X Auditor
- Class IX
- Class IX Auditor
- Class VIII
- Class VIII Auditor
- Class VII Auditor
- Class VI
- Class VI Auditor
- Class VA Graduate
- Class VA Graduate Auditor
- Class V Graduate
- Class V Graduate Auditor
- Class V
- Class V Auditor
- Class IV
- Class IV Auditor
- Class III Auditor
- Class II Auditor
- Class I Auditor
- Class 0 Auditor
- Not Classed
- Not Classed
- Not Classed
- Not Classed

Processing (Pc Grade):

- OT XV
- New OT XIV
- New OT XIII
- New OT XII
- New OT XI
- New OT X
- New OT IX
- New OT VIII
- New OT VII
- New OT VI
- New OT V
- New OT IV
- OT III
- OT II
- OT I
- Eligibility for Issue of OT Levels Check
- New Hubbard Solo Auditor Course (PART TWO)
- OT Preparations
- New Hubbard Solo Auditor Course (PART ONE)
- Sunshine Rundown
- **CLEAR**
- Grade VI Release
- Grade VA
- New Era Dianetics (NED)
- Grade IV Expanded
- Grade III Expanded
- Grade II Expanded
- Grade I Expanded
- Grade 0 Expanded
- ARC Straightwire Expanded
- Scientology Drug Rundown
- Purification Rundown

Awareness Characteristics (center column):

Total Freedom · Power · 21 Source · 20 Existence · 19 Conditions · 18 Realization · 17 Clearing · 16 Purposes · 15 Ability · 14 Correction · 13 Result · 12 Production · 11 Activity · 10 Prediction · 9 Body · 8 Adjustment · 7 Energy · 6 Enlightenment · 5 Understanding · 4 Orientation · 3 Perception · 2 Communication · 1 Recognition · -1 Help · -2 Hope · -3 Demand for Improvement

---

Left margin

The following are additional training services that may be done at various points on The Bridge

- Technical Specialist Courses
- Other Technical Actions
- Primary Rundown
- Hubbard Life Orientation® Course
- Hubbard Key to Life® Course
- OT® Hatting Courses
- Third and Fourth Dynamic Training Courses
- Case Supervisor Training
- Specialized Delivery Courses

How to Use This Chart

Right margin

The following are additional processing services that may be done at various points on The Bridge

- L12, Flag OT Executive Rundown
- L11, New Life Rundown
- L10 Rundown
- Cause Resurgence Rundown
- Flag® Only Rundowns
- Super Power
- Expanded Dianetics™
- False Purpose Rundown®
- Happiness Rundown
- PTS Rundown
- Method One® Word Clearing
- Therapeutic TR Course
- Co-Audit Courses
- Other rundowns and actions that can be delivered at different points on The Bridge

Definitions

DIANETICS® AND SCIENTOLOGY INTRODUCTORY SERVICES

- Dianetics (Book One) Co-Auditing Route
- Professional Dianetics (Book One) Auditing Route
- Anatomy of the Human Mind Route
- Success Through Communication Route
- Life Improvement Course Route
- Scientology Introductory Auditing Route
- Purification Route
- The Way to Happiness Route
- Hubbard Key to Life Course Route

DIANETICS AND SCIENTOLOGY BEGINNING BOOKS AND EXTENSION COURSES, PUBLIC FILMS AND TAPES

SCIENTOLOGY ORGANIZATIONS

describió como "nuestro yo inmortal, imperecedero, por siempre jamás".

Sin embargo, aunque Cienciología representa la ruta hacia las aspiraciones espirituales más elevadas del hombre, también significa mucho para su existencia más inmediata: su familia, su carrera y su comunidad. Ese hecho es crítico para una comprensión de Cienciología y es realmente de todo lo que trata Cienciología: no es una doctrina, sino el estudio y el tratamiento del espíritu humano en relación a sí mismo, otra vida y el universo en que vivimos. A ese respecto, la obra de L. Ronald Hubbard abarca *todo*.

"A menos que haya una gran alteración en la civilización del hombre, tropezando como va en la actualidad", afirmó a mediados de los años 60, "el hombre no estará aquí por mucho tiempo". Como señales de ese declive, citó la agitación política, la corrupción social, la violencia, el racismo, el analfabetismo y las drogas. Y fue a responder estos problemas, entonces, a lo que L. Ronald Hubbard dedicó la mayor parte de sus últimos años de trabajo. De hecho, a principios de la década de los 70, su vida se puede explicar directamente en los términos de su búsqueda de soluciones a las crisis culturales de finales de este siglo.

Su éxito final se vio confirmado por la expansión realmente fenomenal de Dianética y Cienciología: existen ahora más de dos mil organizaciones en sesenta naciones que utilizan las diversas tecnologías de Dianética y Cienciología. Se ve confirmado por la

En la auditación, el auditor (a la izquierda) aplica las verdades básicas de la religión de Cienciología al feligrés (a la derecha) para la rehabilitación del espíritu humano.

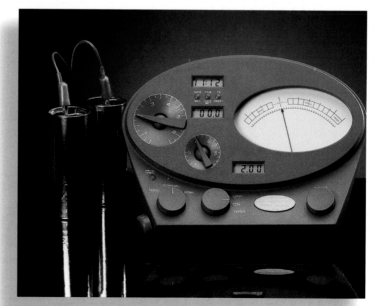

El electropsicómetro, o E-Meter (E-Metro) se usa para medir el estado o cambio de estado mental de una persona. El E-Metro le ayuda al auditor y al feligrés a localizar áreas de angustia espiritual que existen por debajo de la consciencia actual de la persona, de manera que puedan ser localizadas y resueltas.

El movimiento fundado por L. Ronald Hubbard se dedicará en un grado cada vez mayor a la planeación de un mundo nuevo… Está tomando lugar un nuevo despertar de poderes espirituales y su visión ayudará a determinar el curso de los acontecimientos.

Hans Janitschek
Presidente de la Sociedad de Escritores
de las Naciones Unidas

Cada día, miles de personas llegan a conocer la filosofía del Sr. Hubbard a través de una conferencia introductoria dada en una organización de Cienciología.

Típica aula de curso de una iglesia de Cienciología. Una parte importante de la práctica de Cienciología es el estudio de las obras de L. Ronald Hubbard, que detallan la naturaleza espiritual del hombre y los principios básicos de la vida.

Hoy en día, las filosofías de Dianética y Cienciología del Sr. Hubbard se estudian y se usan en más de 2.000 iglesias y organizaciones en ciudades de todo el mundo.

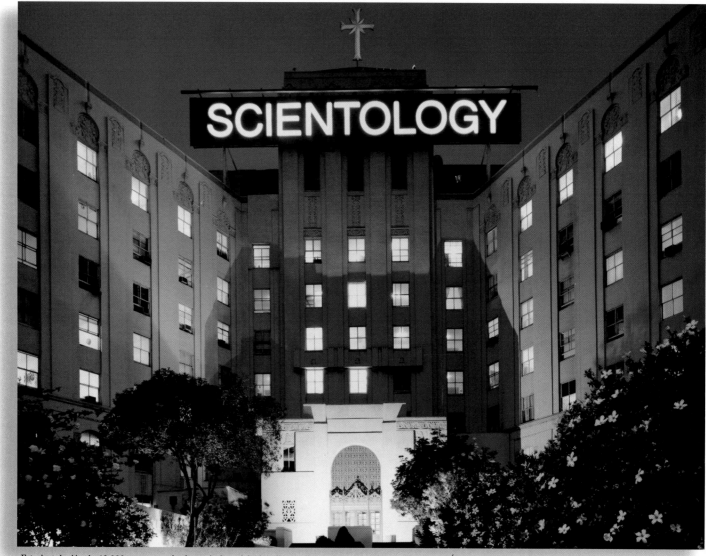

Esta instalación de 46.000 metros cuadrados está al servicio de miles y miles de Cienciólogos que viven en Los Ángeles y su área metropolitana.

Iglesia de Cienciología en Toronto

Iglesia de Cienciología en Tokio

Iglesia de Cienciología en Boston

Fundación de Dianética Hubbard en Los Ángeles

Iglesia de Cienciología en Zúrich, Suiza

Iglesia de Cienciología en Frankfurt, Alemania

montaña de elogios hacia su obra, reconocimientos y proclamaciones de estados, condados y organismos nacionales e internacionales que literalmente llenarían varios volúmenes. Se ve confirmado por su continua popularidad: con 70 millones de ejemplares de obras filosóficas que se leen con regularidad prácticamente en cada país de la Tierra, ningún filósofo en la historia se acerca siquiera a su popularidad. Y de nuevo se ve confirmado por todo lo que está contenido en estas páginas, incluyendo el hecho inherente de que tantas de las verdades fundamentales de Cienciología forman ahora parte de nuestra estructura social. Pero más que nada se confirma por la realización continua de la meta filosófica personal de L. Ronald Hubbard:

"Me gusta ayudar a los demás y considero mi mayor placer en la vida ver a una persona liberarse de las sombras que oscurecen sus días.

"Esas sombras se ven tan densas para ella y le abruman tanto que cuando descubre que son sombras y que puede ver a través de ellas, caminar a través de ellas y volver al sol de nuevo, se encuentra enormemente complacida. Y me temo que yo estoy tan complacido como ella".

Las organizaciones avanzadas de Cienciología que aparecen en estas páginas fueron creadas para promover el legado de L. Ronald Hubbard que nos proporciona la ruta para alcanzar las aspiraciones espirituales más elevadas del hombre.

El retiro religioso de la Iglesia de Cienciología en Clearwater, Florida, ocupa más de 20 edificios. Cienciólogos de todo el mundo llegan aquí para participar en auditación y entrenamiento avanzado. La fotografía de la parte superior es el hotel Fort Harrison, el cual proporciona a los feligreses tanto el alojamiento, como los servicios religiosos. Abajo se encuentra el hotel Sandcastle, que entrega exclusivamente servicios religiosos avanzados de Cienciología.

Organización Avanzada, Iglesia de Cienciología en Sydney, Australia.

Organización Avanzada, Iglesia de Cienciología, Saint Hill, Inglaterra. El Sr. Hubbard estableció su hogar no lejos de este centro de Cienciología entre 1959 y 1966.

Dentro de una tradición que comenzó el Sr. Hubbard a finales de la década de 1960, los niveles más elevados del Puente de Cienciología se entregan en el mar en un entorno libre de distracciones. Esta nave de 134 metros de eslora, el Freewinds, es el hogar de la Organización de Servicio del Barco de Flag de la Iglesia de Cienciología, que entrega los niveles más elevados de la auditación de Cienciología.

Algunos de los miles de reconocimientos y proclamaciones otorgados a L. Ronald Hubbard en reconocimiento de su servicio como Fundador de Dianética y Cienciología.

STATE OF NEVADA

A Proclamation
BY THE GOVERNOR

Whereas, one of the most important contributions we can make are those which ensure the well-being of our children, our family, friends and their future; and

Whereas, the use of Dianetics principles, originally released in May 1950 in Dianetics the Modern Science of Mental Health by American author and humanitarian L. Ron Hubbard, has helped ...

Whereas, hundreds ...
Dianetics Foundations ...
results people have achi...
from an increased IQ and ...
recovery from injury and ...
conflicts and improving ...

Whereas, the ...
national campaign to make Dian...
communities so they too can ...
Foundations, centers of s...

Whereas, over ...
the need for potential ...
ckian L. Ron Hubbard first ...
care of the urban child...
lives; ...

CITY OF STAUNTON

CITY OF WESTWEGO
Proclamation
Whereas, March 13th is the birth date of the acclaimed American author humanitarian, L. Ron Hubbard; and

WHEREAS, ...he pursued his work to sincerely help others in the face of many obstacles; and

WHEREAS, ...his discoveries, deve...
unprecedented succe...
dependency and ill...
happiness and achie...

WHEREAS, ...this success has bro...
thanks and fr...
acknowledgem...
app...

PROCLAMATION
From the Office of the Mayor
City of Toledo, Ohio

City of Des Moin...

PROCLAMATION

WHEREAS, MARCH 13TH IS THE BIRTH DATE OF THE ACCLAIMED AMERICAN AUTHOR AND HUMANITARIAN, L. RON HUBB... AND,

WHEREAS, HE PURSUED HIS WORK TO SINCERELY HELP OTHERS IN THE FACE OF MANY OBSTACLES; AND,

WHEREAS, IN 1951, HE DEFINED THE IMPORTANCE AND ROLE OF ARTISTS IN SOCIETY WITH HIS STATEMENT THAT, "A CULTURE IS AS RICH AND AS CAPABLE OF SURVIVING AS IT HAS IMAGINATIVE ARTISTS, SKILLED MEN OF SCIENCE, A HIGH ETHIC LEVEL, WORKABLE GOVERNMENT LAND AND NATURAL RESOURCES, IN ABOUT THAT ORDER OF IMPORTANCE; AND,

Office of the Mayor
Phenix City, Alabama
Proclamation

City of Muncie
Proclamation

March 13th is the birth date of the acclaimed American author and humanitarian, L. Ron Hubbard; and

WHEREAS, He pursued his work to sincerely help others in the face of many obstacles; and

WHEREAS, In 1951, he defined the importance and role of artists in society wi...

City of Youngstown
Proclamation
Mayor Patrick J. Ungaro

WHEREAS: March 13th is the birth date of author and humanitarian L. Ron Hubbard; and

Mr. Hubbard devoted his life's work to helping mankind, and through his writings and discoveries endeavored to help others to lead happier, successful lives; and

His works have touched the lives o nearly 100 nations; and

Office of the May...
Camden, New J...
Proclama...

WHEREAS, March 13th is the birth date of the acclaimed An...
Ron Hubbard; and

WHEREAS, he pursues his work to sincerely help oth...

WHEREAS, in 1951 he defined the importance and ...
that, "A culture is as rich and as capable of su...
men of science, a high ethic level, workable go...
that order of importance;" and

WHEREAS, L. Ron Hubbard's work in the arts a...
inspired some of the greatest actors, painters, ...

WHEREAS, these artists have also been insp...
programs, drug and criminal rehabilitation prog...

WHEREAS, when a community leader recognizes t...
work, that society also validates progress w...
society and improving the lives of those to our...

City of Jonesboro
Proclamation
By The Mayor

DIANETICS MONTH
MAY, 1994

...EAS, ONE OF THE MOST IMPORTANT CONTRIBUTIONS WE CAN MAK... THOSE WHICH ENSURE THE WELL-BEING OF OUR CHILDREN, OU... LY, FRIENDS AND THEIR FUTURE; AND,

...EAS, THE USE OF DIANETICS PRINCIPLES, ORIGINALLY RELEASE... AY 1950 IN DIANETICS THE MODERN SCIENCE OF MENTAL HEALTH B... ICAN AUTHOR AND HUMANITARIAN L. RON HUBBARD, HAS HELPE... IONS LEAD HAPPIER LIVES; AND,

...EAS, HUNDREDS OF TESTIMONIALS COME IN WEEKLY TO HUBBARD... ETICS FOUNDATIONS ACROSS THE COUNTRY SPEAKING OF TH... CULOUS RESULTS PEOPLE HAVE ACHIEVED WITH THE APPLICATION O... TICS RANGING FROM AN INCREASED IQ AND ACHIEVING HIGHE... S IN SCHOOLS, TO A SPED UP RECOVERY FROM INJURY AN... SS AND A RELIEF FROM PAIN, TO RESOLVING CONFLICTS AN... VING RELATIONSHIPS; AND,

...EAS, THE HUBBARD DIANETICS FOUNDATION HAS BEEN RUNNING ... NAL CAMPAIGN TO MAKE DIANETICS AVAILABLE TO PEOPLE IN ALL... S AND COMMUNITIES SO THEY TOO CAN ACHIEVE SIMILAR GAIN... OVER 220 DIANETICS FOUNDATIONS, CENTERS OF STUDY GROUP... SERVICING THE PUBLIC; AND,

PROCLAMATION

...f the most important contributions ...
...hose which ensure the well being of o...
...mily, friends and their future; and

...se of Dianetics principles as detail...
...bbard's book DIANETICS: the Moder...
...l Health has helped millions lead he...
...are for their children; and

...ds of testimonials come in weekly ...
...ations across the country speaking o...
...ulous results people have achieved ...
...cation of Dianetics ranging from a...
...chieving higher grades in school...
...ery from injury and illness and ...
...to resolving conflicts and...
...lationships; and

...bbard Dianetics Foundation ...
...al campaign to make Dianetic...
...le in all cities and communi...

City of East Chicago, Indiana
Proclamation

WHEREAS, March 13th is the birth date of the acclaimed American author and ...

...o sincerely help others in the face of many ...

...velopments and writings have brought ...
...lity, drug dependency and illiteracy, and in...
...ment; and

...ght a multitude of testimonials, letters of ...
...l acknowledgements and awards applauding ...
...ies; and

...rs in reducing crime, substance abuse and ...
...resulted in ...
...reeds; and

CITY OF
SPARTANBURG, SOUTH CAROLI...

Proclamation

WHEREAS, March 13th is the birthdate of the acclaimed Ame... and humanitarian, L. Ron Hubbard; and,

WHEREAS, he pursued his work to sincerely help others in ... many obstacles; and,

WHEREAS, his discoveries, developments and writings have ... unprecedented success in handling criminality, drug depen... illiteracy, and in bringing personal happiness and achievem...

WHEREAS, this success has brought a multitude of testimo... thanks and friendship, favorable media and acknowledgem... applauding the successful appreciation of his discoveries; ...

...in reducing crime, sut...
...have result...
...races, col...

Office of the Mayor
Shawnee, Kansas
Proclamation

WHEREAS, March 13th is the birth date of the acclaimed American author and humanitar..., L. Ron Hubbard, and

WHEREAS, he pursued his work to sincerely help others in the face of many obstacles; and

WHEREAS, his discoveries, development and writings have brought ...
... handling criminality, drug dependency an...
...s and achievement; and

WHEREAS, this success has brought a multitu...
...n, favorable media and acknowledgemen...
...ion of his discoveries; and

WHEREAS, his successful endeavors in reduc...
...around the world have resulted in gre...
...colors and creeds; and

WHEREAS, with these works L. Ron...
...that we can fully trust each oth...

WHEREFORE, I Jim Allen, Mayor of...
..., 1994, as

L. RON H...

...y of Shawnee, I encourage all c...
...contributions and work with hum...
...ther and to create peace on Earth

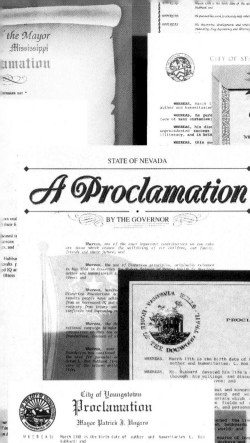

CITY OF EVANSTON
1200 Main Street
EVANSTON, WYOMING 82930
(307) 789-9690

PROCLAMATION
DIANETICS MONTH
MAY 1994

WHEREAS, one of the most important contributions we can make are those which ... ensure the well-being of our children, our family, friends and their future; and,

CITY OF TUCSON OFFICE OF THE MAYOR
PROCLAMATION

WHEREAS, March 13th is the birth date of the acclaimed American author and humanitarian L. Ron Hubbard who devoted his life's work to helping others in the face of many obstacles; and

WHEREAS, Mr. Hubbard's discoveries, developments and writings have brought unprecedented success in handling criminality, drug dependency and illiteracy, and in bringing personal happiness and achievement; and

WHEREAS, this success has brought a multitude of testimonials, letters of thanks and friendship, favorable media and acknowledgements and awards applauding the successful appreciation of his discoveries; and

WHEREAS, his successful endeavors in reducing crime, substance abuse and illiteracy in cities around the world have resulted in greater trust and understanding amongst people of ...

...pressed in words: "On ...

...f Tucson, Arizona, do ...

...AY

...Hubbard's contributions ...

...used the seal of the City ...

...e Miller

...trick
...y Clerk

PROCLAMATION

L. Ron Hubbard Day

March 13th is the birth date of acclaimed American author and humanitarian, **L. Ron Hubbard**, who devoted his life's work to helping others lead happier, more successful lives through his writings and discoveries. His works have resulted in a wealth of materials which are finding increased application in the fields of education, criminal and drug rehabilitation, and personal achievement and happiness.

L. Ron Hubbard's writings are a source of inspiration and answers for leaders, teachers, workers and all who seek to bring about a better world and a brighter future.

The City of Houston recognizes the contributions of internationally renowned author and humanitarian, **L. Ron Hubbard.**

Therefore, I, Robert C. Lanier, Mayor of the City of Houston, hereby proclaim Sunday, March 13, 1994, as

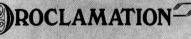

City of Austin
Proclamation

Be it known by these presents that
I, Bruce Todd, Mayor of the City of Austin, Texas,
do hereby proclaim

May 1994
as
Dianetics Month

in Austin, and call on all citizens to join me in recognizing the Hubbard Dianetics Foundation for its efforts to raise awareness of the importance of prenatal care to the future health of children and in encouraging citizens to reach out and make Austin a better place to live.

Jennings, Louisiana
Proclamation

...h 13th is the birth date of the acclaimed American author and humani-
...rian, L. Ron Hubbard, and

...OF WEST HAVEN   STATE OF CONNECTICUT

EPÍLOGO

Como filósofo, filántropo, autor, artista, educador y administrador, L. Ronald Hubbard prestó ayuda de muchas maneras. A su vez, literalmente millones de personas de todo el mundo lo consideran como el amigo más preciado de la humanidad; las personas que ahora han recuperado la vitalidad artística, las que ahora se han liberado de las drogas, las que pueden leer y escribir ahora y las que han utilizado su obra para recuperar su propia dignidad, su fortaleza moral y su respeto por sí mismas.

En la actualidad, lo que el Sr. Hubbard aportó en nombre de la libertad espiritual se encuentra recogido en los 40 millones de palabras en conferencias grabadas, libros y otros escritos que comprenden la totalidad de Dianética y Cienciología. Si este folleto ha tocado apenas estos temas, él ha asegurado, sin embargo, que estén disponibles para todo aquel que quiera acceder a ellos. Aunque esta ruta a la libertad requiere un cierto grado de compromiso, él nunca esperó que uno la recorriera ciegamente o sin inspección. En lugar de eso, como explicó: "Esta es la senda para saber cómo saber. Recórrela y ve".

L. RONALD HUBBARD

Filósofo, educador, administrador, artista, L. Ronald Hubbard prestó servicio de múltiples formas. La siguiente crónica se da a conocer para comunicar cierta idea de su vida. Además del desarrollo histórico de sus descubrimientos, estas páginas ofrecen una visión de los muchos y fascinantes caminos que recorrió como osado piloto de acrobacia aérea volando por distritos rurales dando exhibiciones, como avezado marino, como explorador del lejano Oeste, como oficial de policía de Los Ángeles y todos los demás, que finalmente condujo a la obra por la que hoy es tan respetado.

"No he llevado una vida de reclusión y miro con desdén al hombre sabio que no ha vivido y al erudito que no compartirá con los demás.

"He visto la vida desde el punto más alto hasta el más bajo; sé como se ve en ambas direcciones, y sé que hay *sabiduría y que hay esperanza".*
L. Ronald Hubbard

MARZO DE 1911-1912:

L. Ronald Hubbard nace en Tilden, Nebraska. En septiembre, la familia Hubbard (Ronald junto con su padre, Harry Ross Hubbard, oficial de la Marina de EE.UU., y su madre, Ledora May) cambia su lugar de residencia a Durant, Oklahoma.

1913-1921:

En 1913, al establecerse en la ciudad de Kalispell, Montana, el joven L. Ronald Hubbard conoce por primera vez a los Indios Pies Negros durante una danza tribal en las afueras de la ciudad.

De Kalispell, Ronald cambia su lugar de residencia a la capital de Montana en Helena, donde, durante los meses de verano, reside por lo general en el rancho familiar, que se conoce afectuosamente como el "Viejo Hogar". Durante los duros meses de invierno, una casa de tres pisos de ladrillo rojo cerca de la esquina de las calles Fifth y Beatty en Helena, le sirve de residencia.

Entre las demás figuras pintorescas de este marco aún pionero, Ronald conoce al Viejo Tom, un indio pies negro, hechicero. Se establece una relación única y pocas veces vista, ya que el anciano chamán transmite mucha de la sabiduría tribal a su joven amigo.

A la edad de 6 años se le honra con la distinción de hermano de sangre de los Pies Negros en una ceremonia que aún recuerdan los ancianos de la tribu.

1922-1923:

Ronald cambia su residencia al norte, a Puget Sound en el estado de Washington. Se une a los Boy Scouts de EE.UU. en abril de 1923. Como miembro de la Tropa 31 de Tacoma, llega a ser Scout de Segunda Clase el 8 de mayo, y dos meses más tarde, el 5 de julio, asciende a Scout de Primera Clase.

En octubre, Harry Ross Hubbard recibe órdenes para reportarse a la capital de la nación. Ronald y sus padres abordan el *USS Ulises S. Grant* el 1 de noviembre de 1923 y navegan a Nueva York desde San Francisco a través del recién abierto Canal de Panamá. Después viajan a Washington, DC. Durante este viaje, Ronald conoce al Comandante Joseph "Snake" Thompson, quien acaba de regresar de Viena y de estudiar con Sigmund Freud. Durante el curso de su amistad, el comandante pasa más de una tarde en la Biblioteca del Congreso enseñando al joven Hubbard lo que sabe sobre la mente humana.

El 11 de diciembre de 1923, Ronald, ahora parte de la Tropa 10 de Boy Scouts de Washington, gana tres insignias al mérito.

1924-1929:

En los primeros meses de 1924, Ronald gana 18 insignias al mérito adicionales y el 25 de marzo, se convierte en el Scout Águila más joven de la nación.

Después de completar el año escolar a principios de junio de 1927, Ronald viaja a San Francisco y aborda un vapor para reunirse con su padre que se encuentra ahora establecido en Guam. Pasa por Hawai, Japón, China, las Filipinas y Hong Kong y arriba a la isla de Guam en la primera semana de julio de 1927. Allí se hace amigo de los chamorros, nativos del lugar, y enseña en sus escuelas.

A finales de septiembre de 1927, Ronald regresa a Helena, donde se une al Batallón 163 de Infantería de la Guardia Nacional de Montana. Mientras está en la escuela de segunda enseñanza de Helena, llega a ser editor del periódico de la escuela.

Al encontrar demasiado limitados los salones de clase y las escuelas, Ronald sale solo de aventura otra vez y viaja a bordo del *USS Henderson*, y regresa al oriente.

Durante los catorce meses siguientes, viaja tierra adentro a las colinas occidentales de

L. Ronald Hubbard, alrededor de 1913.

Fotografías del oriente de Ronald a finales de los años 20, incluían el Templo del Cielo (arriba) en Pekín, y la isla de Guam (debajo).

UNA CRÓNICA

Montana, alrededor de 1916. Ronald en el estribo del modelo Ford-T de su abuelo.

Arriba: en 1924, a los trece años, Ronald se convirtió en el Scout Águila más joven de América.
Abajo: mientras Ronald asistía a la Escuela Superior de Helena, también formó parte del personal de la editorial del periódico de esa escuela.

China, otra vez a Japón, rumbo al sur a las Filipinas y más al sur a Java. Surca las aguas de la costa de China como piloto y sobrecargo a bordo del *Marina Maru*, una goleta costera de dos mástiles.

A finales de septiembre de 1929, regresa a EE.UU., y completa su educación de segunda enseñanza en Washington, DC.

1930-1933:

Después de graduarse de la Escuela para Varones Woodward en 1930, Ronald se inscribe en la Universidad George Washington. Allí estudia ingeniería y física atómica y molecular y se embarca en una búsqueda personal de las respuestas al dilema humano. Lleva a cabo su primer experimento sobre la estructura y función de la mente mientras está en la universidad.

Además, se encuentra en el personal de reportes y fotográfico del *Washington Herald*, mientras interpreta baladas para la emisora de radio local WOL y escribe guiones para seriales dramáticos radiofónicos.

Lleva su sed de aventuras a las alturas, Ronald aprende a volar en planeador y de inmediato se le reconoce como uno de los pilotos más sobresalientes del país. Sin tiempo para entrenarse, prácticamente, se dedica al vuelo con motor y hace vuelos de acrobacia por los estados centrales de EE.UU.

Al escribir para la revista nacional *Sportsman Pilot (El piloto deportivo)*, Ronald detalla los más modernos descubrimientos sobre aviación y da consejos a pilotos sobre procedimientos de vuelo en condiciones adversas.

Ayuda a dirigir el club de vuelo de la universidad y es secretario de la organización local de la Universidad George Washington de la Sociedad Norteamericana de Ingenieros Civiles. Como editor y escritor del periódico de la facultad, *The University Hatchet*, escribe su primera obra de ficción publicada, *Tah;* también gana el Premio Literario universitario para la mejor obra teatral en un acto, *El Dios Sonríe*.

En la primavera de 1932, organiza y encabeza la Expedición Cinematográfica del Caribe. El viaje de dos meses y medio y 8.000 kilómetros a bordo de la goleta de cuatro mástiles y sesenta y siete metros de eslora, *Doris Hamlin*, prueba ser una experiencia provechosa para los más de cincuenta estudiantes de universidad. En el viaje se colectan numerosos especímenes florales y de reptiles para la Universidad de Michigan,

y las fotografías se venden al *New York Times*.

Poco después del regreso de Ronald a EE.UU., se embarca en otra aventura, la Expedición Mineralógica de las Indias Occidentales. Hasta abril de 1933, no sólo completa la primera inspección mineralógica de Puerto Rico, sino que escribe artículos para *El Piloto Deportivo* sobre vuelos a través de las islas del Caribe.

Cuando regresa al continente en la primavera de 1933, Ronald empieza su carrera profesional como escritor de ficción. Escribe un relato al día y después de unas cuantas semanas de trabajo, hace su primera venta a editores de Nueva York. Febrero de 1934 ve la publicación del primer relato de aventuras de Ronald, *El Dios Verde*.

1934-1936:

Durante todo este período, L. Ronald Hubbard escribe. Se sienta frente a su máquina de escribir Remington y produce con facilidad 100.000 palabras de ficción al mes.

Ronald escribe relatos del Oeste, de detectives, de aventuras, de acción e incluso de romance. En 1935, lo eligen presidente de la organización local de Nueva York del Gremio Americano de Ficción, ofreciendo su liderazgo a nombres estelares, tales como Raymond Chandler, Dashiell Hammett y Edgar Rice Burroughs. En su calidad de presidente, también escribe artículos para revistas de escritores.

Demostrando su prolífica producción como escritor: completa 138 novelas, novelas cortas y cuentos, en seis años tan sólo, en los géneros de aventura, acción, del Oeste, misterio y de detectives. Esto da un promedio de una narración publicada cada dos semanas, tres veces más la producción de la mayoría de los demás escritores.

1937-1940:

Su popularidad es ahora tan grande que Hollywood trata de obtener los derechos cinematográficos de su novela *Asesinato en el Castillo de los Piratas*. Columbia Pictures le pide que adapte esta obra para la pantalla bajo el título de *El Secreto de la Isla del Tesoro*. Al arribar a Hollywood en mayo de 1937, Ronald empieza a escribir el guión de *El Secreto de la Isla del Tesoro* y empieza a trabajar

en otras tres grandes series cinematográficas: *El Piloto Misterioso, Las grandes aventuras de Wild Bill Hickok* y *La Araña Regresa*.

Después de su regreso a Nueva York, los ejecutivos de *Street & Smith*, una de las empresas de publicaciones más grande del mundo, logró los expertos servicios del Sr. Hubbard para la revista recién adquirida, *Astounding Science Fiction*. Se le pide ayuda a incrementar las ventas flojas con historias sobre personas *reales*, no *maquinaria*. Él acepta la propuesta y la fisonomía de la ciencia ficción cambia para siempre.

En 1939, *Street & Smith* lanza una segunda revista nueva, *Unknown*, que pronto se llena con los escritos de fantasía del Sr. Hubbard.

El 19 de febrero de 1940, se elige al Sr. Hubbard como miembro del prestigioso Club de Exploradores. Al mismo tiempo planea una expedición a Alaska, y el 27 de julio de 1940 su Expedición Experimental de Radio a Alaska se embarca en Seattle. Su nave es el queche de 10 metros de eslora, el *Magician*, que navega bajo la bandera número 105 del Club de Exploradores. Completa un viaje de cerca de 1.100 kilómetros, haciendo mapas de los riesgos y líneas costeras no registrados, para la Oficina Hidrográfica de la Marina de EE.UU.; también dirige experimentos en radiodetección direccional, e investiga las culturas nativas locales, lo que incluye a los Tlingit, los Haidas y los Aleutianos. El 17 de diciembre de 1940, la Junta de Inspección Marina y Navegación de EE.UU. otorga al Sr. Hubbard su licencia de Maestro en Navíos de Vapor y Motor.

En diciembre regresa a Seattle y reanuda sus escritos al mismo tiempo que entrega a la Marina de EE.UU. los cientos de fotografías y anotaciones que le habían solicitado.

Arriba: como piloto en los primeros días de la aviación, Ronald rompió récords locales de vuelo sin motor.
A la derecha: como escritor, comenzó su carrera profesional en 1930, escribiendo guiones para radionovelas.

En 1934, Ronald dirigió la Expedición Mineralógica de las Indias Occidentales.

A principios de la década de 1930, Ronald escribió artículos técnicos para revistas de aviación populares.

El Doris Hamlin, que Ronald utilizó para su Expedición Cinematográfica en el Caribe en 1933.

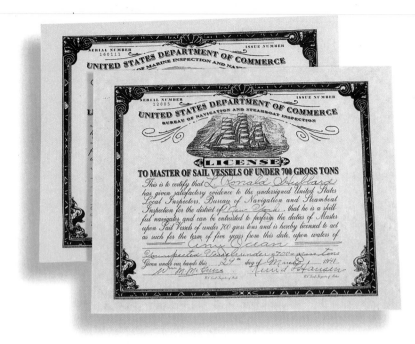

L. Ronald Hubbard sirvió durante la Segunda Guerra Mundial como teniente de navío en la armada de los EE.UU.

1941-1945:

El 29 de marzo de 1941, Ronald recibe su licencia de Maestro de Navío de Vela para "Cualquier Océano".

El 2 de julio de 1941 se le comisiona como teniente (grado júnior) de la Reserva Naval de EE.UU. Cuando EE.UU. entra en la guerra en diciembre de 1941, se ordena a Ronald ir a Australia, donde coordina actividades de inteligencia.

Al regresar a EE.UU. en marzo de 1942, toma el mando de un barco escolta de convoy en el Atlántico y después, de un caza submarinos en el Pacífico. También presta servicio como instructor y oficial de navegación en jefe, y se le selecciona para la Escuela Militar del Gobierno en la Universidad de Princeton. A principios de 1945, mientras se recupera de las lesiones de guerra en el Hospital Naval Oak Knoll, el Sr. Hubbard conduce una serie de pruebas y experimentos que tienen que ver con el sistema endocrino. Descubre que, contrario a las creencias que existen desde hace mucho, la función controla a la estructura. Con este revolucionario avance, empieza a aplicar sus teorías al campo de la mente.

1946:

Después de darse de baja de la Marina de EE.UU. en febrero de 1946, el Sr. Hubbard vuelve a escribir, aunque su impulso primario continúa siendo el desarrollo de un medio para mejorar la condición del hombre. También continúa escribiendo para ayudarse a mantener esta investigación.

1947:

Abre una oficina cerca del cruce de los bulevares La Brea y Sunset en Los Ángeles, y prueba la aplicación de Dianética entre actores, directores, escritores y demás miembros de la comunidad de Hollywood. Son las personas que primero reciben los beneficios de los grandes avances revolucionarios del Sr. Hubbard en el campo de la mente.

1948:

L. Ronald Hubbard acepta un puesto como Oficial Especial de la Policía en el Departamento de Policía de Los Ángeles y usa ese puesto para estudiar a los elementos criminales de la sociedad.

Cambia su residencia a Savannah, Georgia, donde brinda su tiempo en hospitales y

Los Ángeles, 1950.

Una demostración de auditación.

pabellones para enfermos mentales, salvando la vida de los pacientes con sus técnicas de asesoría.

Con casos de prueba e investigación a mano, viaja a Washington, DC, y compila en forma de manuscrito final el resultado de dieciséis años de investigación para determinar el principio dinámico de la existencia. El resultado de este trabajo se publica en la actualidad como el libro *Las dinámicas de la vida*.

1949:

Su manuscrito aún no publicado sobre Dianética, que entrega a unos cuantos amigos para que lo revisen, se copia una y otra vez hasta que circula por todo el mundo. Un resultado de esta entusiasta respuesta, es que sus asociados insisten en que escriba un libro popular sobre el tema de Dianética.

Más tarde ese año, "Terra Incognita: La Mente" de L. Ronald Hubbard, el primer artículo publicado sobre Dianética, aparece en el número de Invierno/Primavera del *Diario del Club de Exploradores*.

1950:

La editora *Hermitage House* contrata al Sr. Hubbard para que escriba *Dianética*.

Ronald completa *Dianética: La ciencia moderna de la salud mental* la primera semana de marzo.

Ronald escribe *Dianética: La evolución de una ciencia* para publicarse en revistas para ayudar a hacer publicidad y acompañar la publicación de *Dianética*.

El 9 de mayo de 1950, se publica *Dianética* y aparece en la lista de best-sellers del *New York Times* el 18 de junio de 1950; permanece en las listas de best-sellers por 28 semanas consecutivas e inicia un movimiento nacional que pronto

Announcing the exclusive
personal appearance of
L. RON HUBBARD
who will autograph his new book
"DIANETICS" $4
Modern Science of Mental Health

ON MONDAY, OCTOBER 2ND, AT
The Broadway, Los Angeles, 12.30 to 1:30 P.M.
The Broadway, Hollywood, 7:30 to 8:30 P.M.

BOOK DEPARTMENT
Mr. Hubbard will talk on the theory of Dianetics, and autograph his book in the AUDITORIUM of The BROADWAY, CRENSHAW on Monday, October 2nd, from 3 to 4 P.M. Hear him!

The BROADWAY   LOS ANGELES HOLLYWOOD CRENSHAW

The New York Times
OCTOBER 1, 1950

The Best Sellers

An analysis based on reports from leading booksellers in 36 cities, showing the sales rating of 16 leading fiction and general titles, and their relative standing over the past 3 weeks.

General

Sept. 10	Sept. 17	Sept. 24	This week	
1	1	2	1	Courtroom. *Reynolds*
3	3	3	2	Look Younger, Live Longer. *Hauser*
2	2	1	3	The Little Princesses. *Crawford*
16	10		4	Kon-Tiki. *Heyerdahl*
4	4	4	5	**Dianetics.** *Hubbard*
7	6	5	6	The Mature Mind. *Overstreet*
13		7	7	The Story of Ernie Pyle. *Miller*
5	7	6	8	Worlds in Collision. *Velikovsky*
9	9	12	9	Behind Closed Doors. *Zacherias*
11	11	10	10	Anybody Can Do Anything. *MacDonald*
6	5	9	11	Roosevelt in Retrospect. *Gunther*
8	8	8	12	John Adams and the American Revolution. *Bowen*
			13	Behind the Flying Saucers. *Scully*
10	10	13	14	Chicago Confidential. *Lait and Mortimer*
12	12	14	15	Springtime in Paris. *Paul*

Con Dianética ascendiendo en las listas de best-sellers, la presencia del Sr. Hubbard era requerida en librerías de todo el mundo.

se convertirá el movimiento de este tipo con mayor crecimiento en EE.UU.

El 7 de junio imparte sus primeras conferencias grabadas sobre Dianética en Elizabeth, Nueva Jersey, donde se forma la Fundación Hubbard de Investigación de Dianética.

El resto del año el Sr. Hubbard continúa de gira y da conferencias en ciudades importantes y para finales de diciembre ha impartido más de 100 conferencias, lo que incluye su discurso a más de 6.000 personas en el auditorio *Shrine* de Los Ángeles.

1951:

El Sr. Hubbard escribe seis libros que describen sus descubrimientos en el campo de la mente humana y proporcionan una tecnología práctica para mejorar la existencia: *La ciencia de la supervivencia, Los axiomas de Dianética, Procedimientos Avanzados y Axiomas, Auto-análisis, Dianética Infantil* y *Manual para preclears.*

Además de la palabra impresa, imparte 135 conferencias sobre el tema de Dianética.

Después de regresar de La Habana, Cuba, donde completa el libro *La ciencia de la supervivencia,* abre el primer Colegio Hubbard en Wichita, Kansas, impartiendo conferencias y dirigiendo cursos.

En otoño de 1951, después de descubrir que el hombre es fundamentalmente un ser espiritual, empieza una nueva línea de investigación para determinar qué se puede hacer para ayudar a un individuo a recuperar su habilidad innata. La filosofía que desarrolla a partir de esos descubrimientos, es Cienciología.

1952:

Cambia su residencia a Phoenix, Arizona, abre su oficina y establece la Asociación Internacional de Cienciólogos Hubbard.

Además de impartir 230 conferencias en temas tales como tonos emocionales, comunicación y creatividad, el Sr. Hubbard escribe acerca de su investigación adicional sobre el potencial espiritual del hombre en cuatro libros nuevos.

1953:

Tras una gira por Europa, regresa a Phoenix, donde publica nuevos descubrimientos muy importantes que permiten al individuo explorar su pasado y mejorar sus reacciones hacia la vida. Durante este período, el Sr. Hubbard también investiga los fundamentos de la organización y desarrolla principios que cualquier grupo puede usar para sobrevivir y prosperar. Imparte 274 conferencias y escribe dos libros más.

1954:

En reconocimiento a la naturaleza espiritual de la filosofía del Sr. Hubbard, varios Cienciólogos de Los Ángeles, California, forman la primera Iglesia de Cienciología en febrero.

Entre tanto, el Sr. Hubbard investiga y desarrolla ulteriormente la filosofía de Cienciología en Phoenix; continúa impartiendo conferencias y escribiendo en forma extensa.

1955:

En marzo, cambia su residencia de Phoenix a Washington, DC, donde se forma la Iglesia Fundacional de Cienciología de Washington, DC, con el Sr. Hubbard como Director Ejecutivo. Diseña las políticas de organización e intensifica su trabajo para desarrollar una tecnología administrativa que permita a las organizaciones de Cienciología funcionar con fluidez y expandirse.

Durante el mes de octubre, regresa a Inglaterra para impartir conferencias en Londres, mientras establece todavía más la organización en ese lugar. Imparte más de 235 conferencias este año, sobre temas que van desde técnicas de consejo espiritual a educación y alcoholismo.

1956:

Viajando a Dublín, Irlanda, el Sr. Hubbard establece ahí una organización de Cienciología.

Mientras imparte más de 150 conferencias, que detallan soluciones a problemas tales como la radiación del medio ambiente y el fracaso de los grupos, también dirige las organizaciones de Washington y Londres durante este año y encuentra tiempo para escribir dos libros más: *Cienciología: Los fundamentos de pensamiento* y *Los problemas de trabajo.*

1957:

En febrero, viaja a Puerto Rico donde continúa investigando y escribiendo. En abril vuela a Londres para impartir una serie de conferencias sobre técnicas de Cienciología y después viaja a Washington. Aunque aún se concentra en los desarrollos administrativos y de organización adicionales e imparte más de 135 conferencias al público, el Sr. Hubbard también escribe dos libros más.

El Sr. Hubbard, en el centro de la fila frontal, con algunos de sus primeros estudiantes en Phoenix, Arizona, en 1952.

Durante una entrevista periodística, septiembre, 1950, Los Ángeles.

En 1953 mientras se encontraba en una gira por Europa.

Londres, 1953.

En París, alrededor de 1954.

La Iglesia Fundacional de Cienciología de Washington, DC, de la que el Sr. Hubbard fue Director Ejecutivo desde 1955 hasta 1959.

Cientos de personas asistieron a las conferencias del Sr. Hubbard en Washington, DC, a finales de la década de los años 50.

La oficina de Londres del Sr. Hubbard estaba situada en la última planta de este edificio.

Washington, DC, 1956.

En frente de su casa inglesa, Saint Hill Manor, en 1959.

El Sr. Hubbard trabajando en su invernadero de Saint Hill, en 1959.

Johanesburgo, Sudáfrica, 1960.

1958:

El Sr. Hubbard imparte 122 conferencias en 1958, de las cuales se filman seis. En octubre, navega a Londres a bordo del barco de vapor *Statedam*. En Inglaterra, imparte 32 conferencias, mientras reorganiza las oficinas locales. Al terminar, navega de regreso a Washington a principios de diciembre a bordo del *Saxonia*.

1959:

Define los deberes de las diferentes jerarquías de las organizaciones de Cienciología e imparte seis conferencias sobre perfeccionamientos de la auditación en Washington.

En marzo empieza negociaciones para comprar la finca de Saint Hill en Sussex, Inglaterra, que será su hogar durante los siguientes siete años. Para mayo, se completan las negociaciones y cambia su residencia a esta propiedad de 22 hectáreas. Se cambia la oficina central mundial de Cienciología a Saint Hill.

En otra línea más de investigación, que esta vez involucra diferentes tipos de vida, el Sr. Hubbard lleva a cabo experimentos de horticultura en invernaderos en Saint Hill que producen grandes incrementos en el crecimiento de los vegetales. Se informa sobre sus descubrimientos en revistas de horticultura a nivel internacional y se informa ampliamente sobre esto en los diarios.

En total da 128 conferencias y escribe dos libros este año.

1960:

Empezando el año en Washington, el Sr. Hubbard imparte 18 conferencias en una semana bosquejando sus descubrimientos en temas tales como la importancia de la honestidad y la responsabilidad individual; después regresa a su hogar en Saint Hill.

En marzo, después de una investigación extensiva, escribe el libro, *¿Ha vivido usted antes de esta vida?*

Después de 30 conferencias más en Saint Hill y Londres, viaja a Sudáfrica en septiembre y estandariza el funcionamiento y la administración de las organizaciones de Sudáfrica. Al terminar el año, regresa una vez más a Washington, DC.

1961:

Después de completar su estancia en Washington, regresa a Saint Hill por una semana y viaja de regreso a Sudáfrica a finales de enero. Aquí desarrolla un modelo perfeccionado de organización para las iglesias de Cienciología.

Al Sr. Hubbard se le otorga su segunda bandera del Club de Exploradores por su "Expedición Arqueológica Oceánica para estudiar sitios bajo el mar de interés histórico, tales como ciudades sumergidas".

A fines de marzo, regresa a Saint Hill y empieza a impartir el Curso de Instrucción Especial de Saint Hill; un extenso programa de entrenamiento para Cienciólogos que comprende la historia completa del desarrollo técnico.

Saint Hill Manor, 1965, fotografía de L. Ronald Hubbard.

El Sr. Hubbard trabajó durante muchas horas en su oficina de Saint Hill, ocupándose de las organizaciones de Cienciología.

Durante los siguientes cinco años, el Sr. Hubbard dedica su tiempo a los estudiantes del Curso de Instrucción Especial de Saint Hill. Este es un período de intensa investigación técnica sobre la ruta a estados espirituales avanzados. Este tiempo también lo dedica a desarrollar y estandarizar la política administrativa para las organizaciones.

1962-1963:

En la primera semana de septiembre, toma un pequeño respiro del Curso de Instrucción Especial de Saint Hill y viaja a Washington, DC, para impartir un congreso de nueve conferencias en tres días.

Además de dirigir la organización de Saint Hill y el Curso de Instrucción, durante 1963, el Sr. Hubbard filma una película titulada *Una tarde en Saint Hill*. La película muestra una gira por Saint Hill y una visión de las actividades que ahí se realizan.

1964:

Mientras continúa su trabajo en Saint Hill, el Sr. Hubbard dirige tomas fotográficas en el área circundante y lleva a cabo un estudio de acciones de publicidad a petición de un promotor local de eventos.

En junio, empieza una serie de conferencias en las que desenreda las complejidades del estudio y la educación, proporcionando una tecnología que cualquiera puede usar para mejorar el estudio de cualquier tema. Esto se convierte en la Tecnología de Estudio, que se usa en la actualidad en todo el mundo, tanto en organizaciones de Cienciología como en sistemas de educación pública y privada.

1965:

En enero, el Sr. Hubbard viaja a las Islas Canarias para empezar una investigación intensiva sobre la naturaleza espiritual del hombre y sus orígenes. Regresa a Saint Hill más tarde ese mes.

Sus actividades durante el resto del año producen importantes avances de organización y técnicos, como resultado de sus años de trabajo en Saint Hill.

Se publica la Tabla de Clasificación y Gradación, que expone los pasos exactos a seguir en Cienciología para lograr estados superiores de conciencia y habilidad.

En noviembre, anuncia y pone en vigor el organigrama de siete divisiones. Este es un avance importante como modelo para que funcione cualquier grupo con éxito. Tiene aplicación universal y se usa en la actualidad en todas las iglesias de Cienciología y en un número creciente en otras organizaciones.

1966:

En febrero, el Sr. Hubbard regresa a las Islas Canarias para continuar su investigación avanzada sobre la naturaleza espiritual del hombre. El 18 de marzo vuela a Rhodesia donde trabaja para ayudar al pequeño país a superar algunos de sus problemas.

En julio regresa a Inglaterra e imparte las conferencias finales del Curso de Instrucción Especial de Saint Hill.

El 1 de septiembre de 1966, L. Ronald Hubbard renuncia a todos los cargos de dirección y de la dirección de las organizaciones de Cienciología.

Después acepta su tercera bandera del Club de Exploradores para la Expedición Hubbard de Investigación Geológica, que encontrará y examinará civilizaciones antiguas del Mediterráneo, ampliando el conocimiento que el hombre tiene de su historia.

En diciembre, Ronald compra el barco, *Enchanter* (que después se vuelve a bautizar como *Diana*).

Saint Hill, cerca de 1960.

Con su Rollei, su cámara favorita, alrededor de 1964.

Dando una conferencia en Saint Hill, en 1966.

En el jardín de rosas de Saint Hill Manor.

Los estudiantes se apiñan para escuchar una de las conferencias de L. Ronald Hubbard a través de las ventanas abiertas del salón de conferencias de Saint Hill.

113

Entrenando a la tripulación en el arte de la navegación, a bordo del Apollo.

Dirigiendo una toma de fotos, en Curaçao, 1975.

En 1975, la embarcación motorizada Apollo, *en Curaçao, fotografiada por L. Ronald Hubbard. La nave fue su hogar de 1969 a 1975.*

El Sr. Hubbard en su habitación de investigación a bordo del Apollo, informando a un estudiante sobre un nuevo desarrollo.

1967:

El 2 de enero, el Sr. Hubbard llega a Tánger, Marruecos, y establece una base para estudios filosóficos avanzados. Luego viaja a Las Palmas, en las Islas Canarias, donde se reúne con el *Enchanter* que llega el 25 de febrero.

Se añade otro barco, el *Avon River,* (que se bautiza después como *Athena*) y lleva a cabo la Expedición Hubbard de Investigación Geológica en el Mediterráneo.

En noviembre, viaja a Inglaterra y acepta la entrega del barco de 3.200 toneladas, el *Royal Scotman.*

1968-1969:

El Sr. Hubbard entrena tripulaciones de los barcos mientras vive a bordo del *Royal Scotman* (que se vuelve a bautizar como *Apollo*). Publica más de 300 cartas de instrucción que comprenden todos los deberes náuticos, desde el mantenimiento del cuarto de máquinas hasta ejercicios contra incendios y desde navegación hasta la forma de manejar botes pequeños.

En el otoño de 1968, a bordo del *Apollo,* imparte 19 conferencias y desarrolla un nuevo curso avanzado para entrenar a estudiantes para que impartan auditación de Cienciología de manera 100 por ciento estándar.

Durante 1969 el Sr. Hubbard investiga los efectos y causas de la drogadicción y del uso de drogas, y desarrolla procedimientos que abordan las causas de ese abuso, las resuelven y eliminan los efectos mentales dañinos que éstas producen. Publica esos hallazgos para que se usen extensamente.

L. Ronald Hubbard formó una compañía musical a bordo del Apollo, *que efectuaba sus interpretaciones en los puertos de escala.*

1970-1973:

Después de desarrollar un modelo estándar y con éxito para la forma y función de la organización, el Sr. Hubbard se dispone a resolver los problemas de cómo dirigir una red internacional de organizaciones.

Hace más moderna y eficiente la tecnología de dirección de organización, al exponer principios muy funcionales sobre manejo y administración de las finanzas, sobre personal y organización, que se encuentran en la actualidad en los tomos de las *Series de Administración.*

Sus grandes progresos en este período incluyen los primeros avances significativos en el tema de la lógica desde la antigua Grecia. El Sr. Hubbard conduce un estudio completo de todas las teorías y prácticas existentes sobre relaciones públicas y también publica sus descubrimientos en el campo de las relaciones públicas, lo que proporciona un enfoque por completo analítico y ético a este tema.

En 1972, el Sr. Hubbard lleva a cabo un estudio sociológico en la ciudad de Nueva York y sus alrededores. Durante el resto del año y en 1973, investiga las vitaminas y la nutrición; algo que más tarde será significativo en sus grandes descubrimientos sobre cómo resolver los efectos de los residuos de drogas.

1974-1975:

En febrero de 1974, mientras estaba a bordo del *Apollo,* forma una compañía de música y danza para proporcionar entretenimiento y buena voluntad en los puertos de escala de España y Portugal. Personalmente instruye a los músicos y bailarines sobre representación artística, música, composición, sonido, arreglos y grabación.

Durante octubre de 1974, el *Apollo* navega a través del Atlántico hasta Las Bermudas y después al Caribe.

De febrero a junio de 1975, mientras está en Curaçao, el Sr. Hubbard toma una serie de fotografías para la junta de turismo de la isla y completa seis proyectos fotográficos para que aparezcan en libros y publicaciones de Cienciología.

A mediados de 1975, las actividades del *Apollo* sobrepasan la capacidad del buque y el Sr. Hubbard regresa a EE.UU., y se establece en Dunedin, Florida, donde continúa su investigación sobre música y examina la música coral en las iglesias locales. Escribe los textos para las primeras películas educativas de Cienciología.

Florida, a finales de 1975.

Con el equipo de cámaras en La Quinta, en 1978.

La casa del Sr. Hubbard en Creston, California, en 1986.

La Quinta, donde en 1976 el Sr. Hubbard comenzó a establecer un estudio para la producción de películas.

1976-1979:

El Sr. Hubbard se traslada a La Quinta, un rancho desértico en el sur de California y establece, entrena y supervisa una unidad productora de películas. En los siguientes tres años escribe no sólo un guión cinematográfico de largo metraje, *Revuelta en las Estrellas*, sino también los textos de 33 películas de instrucción de Cienciología.

Durante este mismo período de tres años, también filma, dirige y produce 7 películas que se usan en el entrenamiento de los consejeros de Cienciología.

El Sr. Hubbard descubre que las drogas permanecen en el cuerpo, incluso años después de que se dejó de usarlas. En consecuencia, desarrolla el Recorrido de Purificación para eliminar del cuerpo las sustancias residuales dañinas. Al unirlo con sus descubrimientos de 1969, termina entonces de desarrollar su programa para la rehabilitación de drogas. Esas técnicas, que usan las iglesias de Cienciología y las organizaciones de rehabilitación de drogas en todo el mundo, permiten a cualquier persona liberarse de los efectos debilitadores de las drogas.

También es en 1979 cuando aísla y resuelve el problema del aumento del analfabetismo. Sus descubrimientos y soluciones más tarde se publican en el curso de *La Llave de la Vida*; un curso aclamado ampliamente por sus milagrosos resultados.

1980-1981:

Durante este período el Sr. Hubbard dedica la mayor parte de su tiempo a escribir.

Formula un código moral no religioso, *El Camino a la Felicidad*, como una solución a la degradación de la moral en la sociedad. La amplia distribución y aceptación de este código, contribuye a que haya un movimiento popular para mejorar los valores morales.

También escribe dos películas de largo metraje y 50 borradores cinematográficos para películas sobre Dianética y Cienciología para el público.

Para señalar su 50º aniversario como escritor profesional, escribe su obra épica internacional: *Campo de Batalla: la Tierra, Una saga del Año 3000*, la obra de ciencia ficción más grande escrita hasta la fecha.

Como parte de su producción de 2 millones de palabras durante este período, también escribe su sátira de ciencia ficción, obra maestra en diez tomos: *Misión: la Tierra*.

1982-1986:

El Sr. Hubbard establece su hogar en California en un rancho en las afueras de San Luis Obispo. Investiga y publica nuevos materiales técnicos de Cienciología que expanden aún más la habilidad espiritual del individuo.

Campo de Batalla: la Tierra se publica en 1982 y llega a ser un best-seller internacional. El Sr. Hubbard compone la música y letra de un disco que acompaña al libro, la primera banda sonora para un libro.

Mientras la aclamación para *Campo de Batalla: la Tierra* continúa aumentando al traducirse el libro a otros idiomas, en 1985 se publica el primer tomo de su *Misión: la Tierra* escrito por Ronald. Conforme se va publicando cada tomo del total de diez en los años sucesivos, estos se van convirtiendo en best-sellers de inmediato. La aparición sucesiva de estos tomos en la lista de best-sellers del *New York Times*, constituye algo que ocurre por primera vez en la historia de las publicaciones. El Sr. Hubbard acompaña *Misión: la Tierra* con otro nuevo álbum de discos de música, y continúa todavía con su trabajo en otro álbum: *El Camino hacia la Libertad*; con música y letra del Sr. Hubbard, es la presentación musical de Ronald de muchos de los principios básicos de Cienciología.

24 DE ENERO DE 1986

Habiendo logrado todo lo que había planeado llevar a cabo, el Sr. Hubbard deja esta vida. Sin embargo, el impacto causado en todo el mundo, y que pronto se mide en decenas de millones de personas, sólo continúa creciendo. En respuesta a la demanda por su obra artística, *Author Services, Inc.* inicia un programa de veinte años para reimprimir sus primeras obras de ficción y sus relatos anteriores no publicados. Las primeras obras que se ponen en circulación *Final Blackout* y *Fear*, pronto llegan a la lista de best-sellers y vuelven a tener la popularidad que tuvieran 50 años antes.

En las listas de best-sellers aparecen en total 35 libros de L. Ronald Hubbard con una venta total combinada de narrativa y libros de estudio por encima de 120 millones de ejemplares. (El libro de *Dianética* por sí solo, ha vendido el doble de ejemplares en la última década que los que se vendieron durante los 30 años previos.) Por consiguiente, ningún otro derecho de autor es tan solicitado por los editores mundialmente.

Asimismo, no hay ningún filósofo en la historia cuya atracción popular sea tan amplia. De hecho, más de 8 millones de personas en más de 2.100 Organizaciones e Iglesias practican Dianética y Cienciología.

El interés por las obras seculares del Sr. Hubbard, de igual manera no tiene precedente, como se ejemplifica mejor a continuación:

• Los 11.000 estudiantes en Colombia que están usando actualmente la tecnología educativa del Sr. Hubbard.

• Los 30 programas de alfabetización americanos dirigidos a los barrios más desposeídos de las ciudades que actualmente utilizan la Tecnología de Estudio de L. Ronald Hubbard.

• Y más de 175.000 hombres de negocios y administradores en más de 35.000 empresas y corporaciones de 40 países estudian ahora la Tecnología Administrativa del Sr. Hubbard. (Para ayudar a satisfacer esa demanda, durante el año pasado, se han abierto siete nuevos Colegios de Administración Hubbard.)

Telegraph & Argus
English Best Sellers

PAPERBACK

1.	FIRST AMONG EQUALS	Jeffrey Archer
2.	**BATTLEFIELD EARTH**	**L. Ron Hubbard**
3.	WHEEL OF FORTUNE	Susan Howatch
4.	SO LONG AND THANKS FOR ALL THE FISH	Douglas Adams
5.	HOLLYWOOD WIVES	Jackie Collins

—TIME—
BESTSELLERS

1. **Battlefield Earth**, *L. Ron Hubbard*
2. Christine, *King*
3. Lonesome Gods, *L'Amour*
4. White Gold Wielder, *Donaldson*
5. Little Drummer Girl, *Le Carré*
6. The Summer of Katya, *Trevanion*

The New York Times
THE NEW YORK TIMES BOOK REVIEW
Paperback Best Sellers
Advice, How-to and Miscellaneous

1	**DIANETICS, by L. Ron Hubbard. (Bridge Publications)**
2	RAND McNALLY ROAD ATLAS. (Rand McNally)
3	GARFIELD WORLDWIDE, by Jim Davis. (Ballantine)
4	WOMEN WHO LOVE TOO MUCH, by Robin Norwood (Pocket Books)
5	THE ARTHUR YOUNG TAX GUIDE 1988. ...stein

Waldenbooks
Science Fiction
Bestseller

Hardcover

1.	2061: ODYSSEY THREE
2.	MAN RIDES THROUGH
3.	MORE THAN COMPLETE HITCHHIKER'S GUIDE
4.	BEING A GREEN MOTHER
5.	BLACK UNICORN
6.	**Doomed Planet**
7.	FIREBRAND
8.	THE UNIVERSE

Waldenbooks
SCIENCE FICTION/FANTASY BESTSELLERS

MASS MARKET PAPERBACK

1.	MEMORY PRIME (STAR TREK #42) by Gar & Judith Reeves-Stevens
2.	HEAVEN CENT by Piers Anthony
3.	BEING A GREEN MOTHER by Piers Anthony
4.	**BLACK GENESIS by L. Ron Hubbard**
5.	WAR OF MAELSTROM by Jack Chalker
6.	BLACK UNICORN by Terry Brooks
7.	TRIUMPH OF THE DARK SWORD by Tracy Hickman & Margaret Weis
8.	A MAN RIDES THROUGH by Stephen Donaldson

B. Dalton's
Bestseller List
HARDCOVERS

1. **DEATH QUEST, L. Ron Hubbard**
2. **THE INVADER'S PLAN, L. Ron Hubbard**
3. **BLACK GENESIS, L. Ron Hubbard**
4. **FORTUNE OF FEAR, L. Ron Hubbard**
5. **THE ENEMY WITHIN, L. Ron Hubbard**
6. **AN ALIEN AFFAIR, L. Ron Hubbard**
7. THE MIRROR OF HER DREAMS, Stephen R. Donaldson
8. THE DOCTOR WHO FILE, Peter Haining

Waldenbooks
Trade Paperback Bestsellers

1.	Garfield Food For Thought	Jim Davis
2.	**Dianetics**	**L. Ron Hubbard**
3.	**Self Analysis**	**L. Ron Hubbard**
4.	Far Side Gallery	Gary Larson
5.	Calvin & Hobbes	Bill Watterson
6.	Road Atlas 1987 Waldenbooks	Editors
7.	Road Less Traveled	M. Scott Peck
8.	Learn to Control Stress Test	Berkley

Chicago Tribune
BESTSELLERS
Paperback

1.	*Dianetics*	*L. Ron Hubbard*
2.	Garfield Chews the Fat	Jim Davis
3.	A Theft	Saul Bellow
4.	Codependent No More	Melanie Beattie
5.	The Women of Brewster Place	Gloria Naylor
6.	Yukon Hot	Bill Watterson
7.	What Color is your Parachute?	Richard M. Bolles
8.	The Power of Myth	Joseph Campbell
9.	What to Expect When Your Expecting	Arlene Eisenberg
10.	The Essential Calvin & Hobbs	Bill Watterson

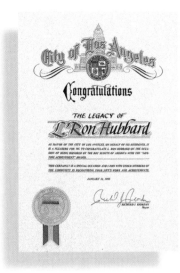

LIFETIME ACHIEVEMENT AWARD
Presented To
L. Ron Hubbard
For His Humanitarian Work For The Betterment Of Mankind.
Boy Scouts Of America
Los Angeles Area Council
January 31, 1995

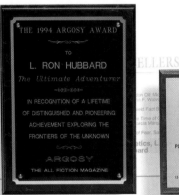

THE 1994 ARGOSY AWARD
TO
L. RON HUBBARD
The Ultimate Adventurer
IN RECOGNITION OF A LIFETIME OF DISTINGUISHED AND PIONEERING ACHIEVEMENT EXPLORING THE FRONTIERS OF THE UNKNOWN
ARGOSY
THE ALL FICTION MAGAZINE

LA EXTRA
OTORGA EL PRESENTE RECONOCIMIENTO
AL FILOSOFO Y ESCRITOR
L. RONALD HUBBARD
POR HABER ENTREGADO A LA SOCIEDAD CONTEMPORANEA SU INAPRECIABLE OBRA FILOSOFICA EN BENEFICIO DE LA HUMANIDAD.

PLANETARIO
SECRETARIA DE CULTURA
GOBIERNO DEL ESTADO DE PUEBLA
Reconocimiento
AL FILOSOFO Y HUMANISTA L. Ronald Hubbard

World Literacy Crusade
"LIBERTY BELL OF FREEDOM"

BESTSELLERS

1. Battlefield Earth, *L. Ron Hubbard*
2. Christine, *King*
3. Lonesome Gods, *L'Amour*
4. White Gold Wielder, *Donaldson*
5. Little Drummer Girl, *Le Carré*
6. The Summer of Katya, *Trevanion*
7. Ascent into Hell, *Greeley*
8. Ancient Evenings, *Mailer*
9. Space, *Michener*
10. The Name of the Rose, *Eco*

PAPERBACK
TRADE

1.	Dianetics	L. Ron Hubbard
2.	1990 Information Please Almanac	
3.	Prehistory of the Far Side	Gary Larson
4.	The Calvin & Hobbes Lazy Sunday Book	Bil Watterson
5.	1990 World Almanac Book of Facts	
6.	The New Basics Cookbook	Rosso & Lukins
7.	The Best American Short Stories	Edited by M. Atwood
8.	Codependent No More	Melodie Beattie
9.	You Can't Afford the Luxury of a Negative Thought	McWilliams & Roger
10.	Wildlife Preserves	Gary Larson

1. Revenge of the Baby-Sat, Bill Watterson
2. Meditation for Women, Ann Wilson Schaef
3. The Seven Habits of the Highly Effective Executive, Stephen R. Covey
4. Barbarians at the Gate, Bryan Burrough and John Helyar
5. From Beirut to Jerusalem, Thomas L. Friedman

8. The T-Factor Fat Gram Counter, Jamie Pope-Cordie and Martin Katahn
7. The Conative Connection, Kathy Kolby
8. All I Need To Know I Learned From My Cat, Suzy Becker

9. Dianetics, L. Ron Hubbard

10. Communicoding, Marica B. Cherney, Susan A Tyman

1. Free To Be A Family, Thomas
2. Time Flies, Cosby
3. The Great Depression of 1990, Batra
4. Spycatcher, Wright
5. Veil, Woodward
6. Family, Bombeck
7. The Cat Who Came for Christmas, Novak
8. Man of the House, Novak
9. Thriving on Chaos, Peters
10. The Discovery of the Titanic, Ballard
11. And The Band Played On, Shilts
12. A Day in the Life of the Soviet Union,
13. The Closing of the American Mind, Bloom
14. Seven Stories of Christmas Love, Buscaglia
15. You're Only Old Once, Seuss
16. Bus 9 To Paradise, Buscaglia
17. The Great Getty, Lenzner
18. Iacocca, Iacocca
19. Wiseguy, Pileggi

20. Dynamics of Life, L. Ron Hubbard

21. Yeager: An Autobiography, Yeager
22. Adrift, Callahan
23. Blessings in Disguise, Guiness
24. The Man Who Mistook His Wife For A Hat, Sacks
25. Greed and Glory on Wall Street, Auletta

MASS MARKET			
1	R. Stephen King. *NAL/Signet*, $4.95	8	2
2	Red Storm Rising. Tom Clancy. Berkley, $4.95	-	7
3	Wanderlust. Danielle Steel. Dell.	2	8
4	Hollywood Husbands. Jackie Collins. Pocket Books, $4.95	3	4
5	The Hunt for Red October. Tom Clancy. Berkley, $4.95	6	56
6	His Way: The Unauthorized Biography of Sinatra. K. Kelley. Bantam, $4.95	-	-
7	Murder in Georgetown. Margaret Truman. Fawcett Crest, $4.50	10	9
8	Suspects. William Caunitz. Bantam, $4.95	-	4
9	The Unwanted. John Saul. Bantam, $4.50	5	4
10	Texas. James A. Michener. Fawcett Crest, $5.95	4	6
11	Last of the Breed. Louis L'Amour. Bantam, $3.95	10	9
12	Through a Glass Darkly. Kathleen Koen. Avon, $4.95	-	1
13	Roger's Version. John Updike. Fawcett Crest, $4.95	-	1
14	The Romulan Way. Duane and Morwood. Pocket Books, $3.50	11	3
15	A Matter of Honor. Jeffrey Archer. Pocket Books, $4.95	7	3

TRADE		
1	The Arthur Young Tax Guide 1987. Arthur Young & Co. Ballantine, $10.95	1 6
2	DIANETICS. L. Ron Hubbard. Bridge. $4.95	2 27 12
3	The Road Less Traveled. M. Scott Peck. M. D. Touchstone/Simon	4 135212
4	The Far Side Gallery II. Gary Larson. Andrews, McMeel & Parker, $9.95	5 1881
5	The Man Who Mistook His Wife For a Hat and Other Clinical Tales. Oliver Sacks	8 5 2
6	JK Lasser's Your Income Tax 1987 Edition. Prentice Hall Press, $8.95	3 7 7
7	Adult Children of Alcoholics. Janet Geringer Woititz. Health Communications, $6.95	7 19 91
8	The World Almanac and Book of Facts. 1987. World Almanac/ Pharos Books, $5.95	9 1901
9	Rand McNally Road Atlas 1987. Rand McNally. $5.95	6 14 91
10	West With the Night. Beryl Markham. North Point Press, $12.50	10 1881

MASS MARKET CANDIDATE:
Glory Lane. Alan Dean Foster. Ace, $3.50.

Exeter Weekly News

English
Top Books

Fiction

First Among Equals, Jeffrey Archer

Battlefield Earth, L. Ron Hubbard

So Long and Thanks for All the Fish, Douglas Adams

The Burning Share, Wilbur Smith

Full Circle, Danielle Steele

Waldenbooks
BESTSELLERS

1. Guardians of the West — David Eddings
2. **Voyage of Vengeance** — L. Ron Hubbard
3. **Death Quest** — L. Ron Hubbard
4. Foundation and Earth — Isaac Asimov
5. **The Invader's Plan** — L. Ron Hubbard
6. **The Enemy Within** — L. Ron Hubbard
7. **An Alien Affair** — L. Ron Hubbard
8. **Fortune of Fear** — L. Ron Hubbard
9. **Black Genesis** — L. Ron Hubbard

Los Angeles Times
THE BOOK REVIEW
SUNDAY, AUGUST 17, 1986
TRADE PAPERBACK BESTSELLERS

1. It Came From the Far Side — Larson
2. The Road Less Traveled — Peck
3. Rand McNally 1986 Road Atlas
4. **Dianetics: The Modern Science of Mental Health** — Hubbard
5. War of the Twins — Weis, Hickman

Waldenbooks
Bestseller List

HARDCOVERS

1. **FORTUNE OF FEAR** L. Ron Hubbard
2. FOUNDATION AND EARTH — Isaac Asimov
3. THE MIRROR OF HER DREAMS — Stephen R. Donaldson
4. WIELDING A RED SWORD — Piers Anthony
5. THE QUEST FOR SAINT CAMBER — Katherine Kurtz
6. **AN ALIEN AFFAIR** L. Ron Hubbard
7. **THE INVADER'S PLAN** L. Ron Hubbard
8. BLOOD OF AMBER — Roger Zelazny
9. **BLACK GENESIS** L. Ron Hubbard
10. **THE ENEMY WITHIN** L. Ron Hubbard

Además de las muchas proclamaciones y reconocimientos recibidos por el Sr. Hubbard, la Exhibición de la Vida de L. Ronald Hubbard presenta cientos de objetos personales que le sirvieron a través de su vida, y medios audiovisuales que transmiten la esencia del hombre.

En reconocimiento al hombre que sin duda alguna se ha convertido en el único autor, educador, filántropo y filósofo que más influencia ha tenido en todo el mundo, 150 alcaldes y gobernadores de Estados Unidos declaran el 13 de marzo: "El día de L. Ronald Hubbard", y el 9 de mayo: "El día de Dianética" en honor a las contribuciones y logros del Sr. Hubbard.

Y con la continua publicación de las obras del Sr. Hubbard, la extensión de su impacto sobre las vidas de la gente continúa al menos triplicándose cada década, todo dirigido hacia la realización de su sueño por una civilización "sin demencia, sin criminales y sin guerra, donde el capaz pueda prosperar y los seres honestos puedan tener derechos, y donde el hombre sea libre para elevarse a mayores alturas".

En la actualidad, millones de personas utilizan con regularidad los principios de L. Ronald Hubbard para el mejoramiento de sus vidas, y esa cifra crece literalmente a un ritmo aproximado de 10.000 personas más cada semana. En tributo a ese hecho, y a todo lo demás por lo que luchó, se estableció la Exhibición de la Vida de L. Ronald Hubbard, en Hollywood, California.

Ubicada en Hollywood Boulevard, la exhibición está abierta todos los días y presenta diversas muestras de las obras de L. Ronald Hubbard a través de múltiples medios de comunicación. En adición a las muchas condecoraciones, proclamaciones y reconocimientos expuestos en esta publicación, hay cientos de objetos personales que le ayudaron a través del viaje que se narra en este perfil. También hay recitales de sus obras, y citas seleccionadas para revelar la esencia del hombre:

"Me gusta ayudar a los demás y considero mi mayor placer en la vida ver a una persona liberarse de las sombras que oscurecen sus días.

"Esas sombras se ven tan densas para ella y le abruman tanto que cuando descubre que son sombras y que puede ver a través de ellas, caminar a través de ellas y volver al sol de nuevo, se encuentra enormemente complacida. Y me temo que yo estoy tan complacido como ella".

L. Ronald Hubbard

Master Mariner
Issue 1:

Master Mariner
Issue 2: Yachtsman

The Philosopher
Issue 2: The Spirit of Man

The Philosopher
Issue I: The Quest for Truth

The Auditor
From Research to Application

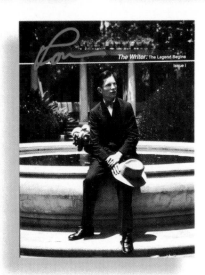

The Writer: The Legend Begins
Issue 1

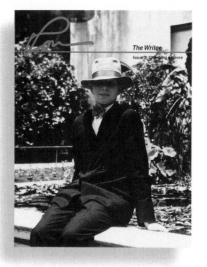

The Writer
Issue 2: Changing a Genre

LA SERIE DE

La revista que explora la vida y la obra de L. Ronald Hubbard

Ofreciendo una perspectiva única en los muchos campos de los logros de L. Ronald Hubbard, la *Serie de RONALD* proporciona artículos del Sr. Hubbard no publicados previamente, fotografías nunca antes vistas y una visión sucinta de un genio en su trabajo. Cada número de esta serie va dirigido a un campo separado de sus empeños.

Ronald: el escritor
Se inicia la leyenda
Transformando el género
Poeta/Lírico

Ronald: el filósofo
La búsqueda de la verdad
El espíritu del hombre

Ronald: el auditor
Desde la investigación a la aplicación

Ronald: avezado marino
Capitán de mar
Piloto de yates

Ronald: el artista

Ronald: el cineasta

Ronald: el educador

Ronald: el filántropo

Ronald: el creador de música

Ronald: el fotógrafo

Ronald: el aviador

Ronald: el explorador

Ronald: el administrador

Ronald: el horticultor

Para obtener más información y para conseguir ejemplares
de estas publicaciones, rogamos se ponga en contacto con:

Oficina Internacional de Relaciones Públicas Personales de L. Ronald Hubbard
1710 Ivar Avenue, Suite 1105
Los Angeles, California 90028
(213) 960-3511 o

Bridge Publications, Inc.
4751 Fountain Avenue
Los Angeles, California 90029
(213) 953-3320

HE ATRAVESADO

EL MUNDO,

ESTUDIANDO AL

HOMBRE PARA PODER

COMPRENDERLO

Y ÉL, NO MIS

AVENTURAS

AL HACERLO,

ES LO IMPORTANTE.

L. RONALD HUBBARD